Wie in einem Rondo, in traurigen und in komischen Variationen, kehrt in diesem Roman das Thema der Vergeblichkeit wieder. Barbara Honigmann erzählt von Vater und Tochter, berichtet von ihrer Kindheit in Ost-Berlin, vom Pendeln zwischen den geschiedenen Eltern und warum sie selbst der DDR den Rücken kehrte, nach Paris ging. »Hatte ich denn nicht mein ganzes Leben geseufzt, nach Paris! nach Paris! Und dann habe ich eines Tages in einem Zug gesessen, und der Zug ist irgendwo angekommen, und sie sagten, es sei Paris.«

Wie in ihrem preisgekrönten »Roman von einem Kinde« erklärt sich der »Zauber dieser verblüffend einfachen Prosa« (Marcel Reich-Ranicki) aus der Spannung zwischen ihrer Melancholie und den oft komischen Wendungen des Lebens.

Barbara Honigmann, geboren 1949 in Ost-Berlin, wohin die jüdischen Eltern aus dem Exil zurückgekehrt waren. Arbeitete als Dramaturgin und Regisseurin. 1984 Emigration mit der Familie nach Strasbourg. Honigmanns Werk wurde mit zahlreichen Preisen ausgezeichnet, u. a. dem Heinrich-Kleist-Preis, dem Koret Jewish Book Award, dem Solothurner Literaturpreis und dem Max-Frisch-Preis der Stadt Zürich.

Barbara Honigmann

Eine Liebe aus nichts

Roman

Deutscher Taschenbuch Verlag

Von Barbara Honigmann
sind im Deutschen Taschenbuch Verlag erschienen:
Roman von einem Kinde (12893)
Damals, dann und danach (13008)
Alles, alles Liebe (13135)
Ein Kapitel aus meinem Leben (13478)
Soharas Reise (13843)

Ausführliche Informationen über
unsere Autoren und Bücher
finden Sie auf unserer Website
www.dtv.de

2. Auflage 2012
2008 Deutscher Taschenbuch Verlag GmbH & Co. KG,
München
© Barbara Honigmann 1991
Umschlagkonzept: Balk & Brumshagen
Umschlagbild: Barbara Honigmann
Satz: Fotosatz Amann, Aichstetten
Gesetzt aus der Stempel Garamond 10/12,5·
Druck und Bindung: Druckerei C. H. Beck, Nördlingen
Gedruckt auf säurefreiem, chlorfrei gebleichtem Papier
Printed in Germany · ISBN 978-3-423-13716-4

Eine Liebe aus nichts

So, wie er es in einem hinterlassenen Brief – nicht etwa einem Testament, nur einem Brief, ein paar Zeilen auf einem karierten Zettel – gewünscht hat, ist mein Vater auf dem jüdischen Friedhof von Weimar nach den Vorschriften begraben worden. Auf dem kleinen Friedhof, der ein Stück weit von der Stadt liegt, ist seit Jahrzehnten niemand mehr begraben worden, und man konnte sich über den Wunsch meines Vaters nur wundern, denn er hatte in seinem ganzen Leben überhaupt keine Verbindung zum Judentum und nicht mal einen hebräischen Namen. Der Kantor, den man aus einer anderen Stadt hatte kommen lassen müssen, ein Jude aus Saloniki, der meinen Vater gar nicht gekannt und nie gesehen hat, fügte deshalb an den entsprechenden Stellen des hebräischen Singsangs einfach den deutschen Namen und lächerlicherweise auch noch den Doktortitel ein, und er hat keine der endlosen Wiederholungen ausgelassen und nicht aufgehört, mit seinem sefardischen Akzent immer von neuem den Namen meines Vaters zu entstellen.

Es war schwer zu glauben, daß dort in dem Sarg mein Vater liegen sollte, ich dachte, ich müsse ihn noch einmal sehen, ich müsse jemanden bitten, den Sarg wieder zu öffnen, damit ich ihn noch einmal sehen könnte, aber ich wagte es nicht, weil ich Angst hatte, ihn tot zu sehen, so wie ich schon Angst gehabt hatte, ihn krank zu sehen, denn ich mußte mich ja fragen, warum ich nicht früher gekommen war, es nicht wenigstens versucht hatte, vielleicht wäre es möglich gewesen, die »Berechtigung zum Erhalt eines Visums« schon eher zu bekommen, aber ich hatte nicht einmal danach gefragt, aus Angst, vielleicht war aber auch etwas von Rache dabei, denn mein Vater hatte mich ja auch verlassen, hatte mich auch betrogen, und warum hatte er in seinem Brief Mord unterstrichen?

Nach dem Begräbnis bin ich noch einmal zum Schloß Belvedere hinaufgegangen, dort hat mein Vater mit seiner letzten Frau gewohnt. Sie war Direktorin des Schloßmuseums, das es in Wirklichkeit gar nicht gab, weil die Restaurierungsarbeiten im Belvedere nie aufgehört und eigentlich nie begonnen hatten. Ihre Wohnung war unter dem Dach, gleich neben dem Tischleindeckdich, einem Speiseaufzug, den Goethe für Karl August hatte installieren lassen, damit sie oben auf der Dachterrasse picknicken konnten. Aus dem Fenster sieht man über den Park von Belvedere, wo der Ginkgo Biloba steht, den auch Goethe importieren und pflanzen ließ und auf den er das so berühmte Gedicht schrieb.

Der Baum sieht aber ganz unauffällig und mickrig
aus, und mein Vater und ich haben uns bei unseren
Spaziergängen durch den Park oft gefragt, ob es
wirklich »dieses Baums Blatt« in dem berühmten
Gedicht gewesen sein kann, doch so steht es ja überall geschrieben, und jedermann dort sagt es immerzu.

Ich wollte das Zimmer meines Vaters noch einmal
sehen und mir ein Erinnerungsstück mitnehmen,
aber es war schwer und trostlos, etwas herauszusuchen, seine Kleider lagen in dem Raum so verloren
herum, wie sein Körper jetzt war, und auch all die
anderen Gegenstände, die zu seinem Leben gehört
hatten und eine Erinnerung daran trugen, erschienen mir nur wie abgefallene Stücke, die ihren Halt
verloren und nun keinen Sinn mehr hatten; eine
Weile werden sie noch hin und her geschoben, in die
Hand genommen und dann doch wieder weggelegt.
Das oder jenes nahm ich auf, sah es an, drehte und
wendete es, ob nicht irgend etwas Lebendiges noch
darin zu finden sei, das ich herauslocken könnte,
wie ein kleines Kind, wenn es ein neues Ding findet
und es schüttelt und ans Ohr hält und in den Mund
nimmt und darauf beißt, weil es nicht weiß, woher
seine Wirkung kommen wird, und noch alles von
dem unbekannten Gegenstand erwartet. Aber ich
begriff, daß die Erinnerung aus den Gegenständen
herausgefallen war; jetzt würden sie weggeworfen
werden oder weggeschenkt, und andere Leute können ihre Geschichte wieder neu hineinlegen, aber

9

die Geschichte meines Vaters war darin zu Ende, in den Dingen hielt sie sich nicht mehr.

In einer Schublade fand ich ein kleines, in rotes Leder gebundenes Notizbuch, ein englischer Taschenkalender aus der Emigrationszeit, den nahm ich mir und außerdem die russische Armbanduhr, die er immer getragen hatte. Sie war ein Geschenk von Jefim Fraenkel, dem Germanisten aus Moskau, mit dem mein Vater in den ersten Jahren nach dem Krieg im Sowjetischen Nachrichtenbüro in der russischen Besatzungszone zusammengearbeitet hatte. Als das Sowjetische Nachrichtenbüro aufgelöst und Jefim Fraenkel nach Moskau zurückgekehrt war, wurde er ins Lager und in die Verbannung geschickt, aber das erfuhr mein Vater erst zwanzig Jahre später, als sie sich zum erstenmal wiedertrafen. Da besuchte Jefim Fraenkel ihn in Weimar, und bei dieser Gelegenheit hatte er ihm die Uhr geschenkt, und mein Vater hatte in der »Jugendmode« drei Paar Jeans für Fraenkels Söhne in Moskau gekauft.

Jetzt war die Uhr stehengeblieben und nicht mehr aufzuziehen, deshalb habe ich sie hier in Paris gleich zur Reparatur gebracht. Der Uhrmacher hat sie mir wieder hergerichtet, aber er machte abfällige Bemerkungen über die russischen Uhren; sie seien zwar solide, sagte er, aber im Inneren grob und ohne Kunstfertigkeit. Und dann hat er mich gefragt, ob ich von dort käme, und ich habe geantwortet, nein, nein, aber woher denn, daher käme ich nicht.

Erst seit wenigen Monaten, noch nicht mal einem Jahr bin ich in dieser Stadt, in Paris. Ich wohne im XIII. Bezirk in einem Souterrain, etwas Besseres habe ich nicht finden können. Von unten sehe ich auf die Straße hinauf, auf die Füße der Leute, die da laufen; am Anfang, als ich gerade angekommen war, liefen sie ohne Strümpfe und trugen Sandalen, denn draußen war es heiß, ein sehr heißer Sommer, aber drinnen, in meiner Wohnung, war es kalt und dunkel, weil das Fenster nur wenig über die Straße reicht und kaum Licht hereinläßt, und ich mußte mich warm anziehen, nicht, wie sonst, beim Hinausgehen, sondern wenn ich von draußen hereinkam. Ich saß in dem Zimmer wie in einer Sternwarte, um mich herum kreiste die Stadt, die ich nicht sehen konnte, und aus dem Fenster suchte ich wie mit einem Fernrohr die Straße vor mir ab nach dem, was nun anders werden sollte.

Jetzt habe ich wenigstens schon meine Möbel und Sachen aus Berlin. In den ersten Wochen gab es nur die kahlen Wände und ein Klappbett, das man mir geborgt hatte, und zum täglichen Leben ein Besteck, einen Teller, ein Handtuch, ein Glas und einen Hokker zum Sitzen. Wie im Gefängnis, dachte ich da, und nicht wie in der neuen Welt, und hatte nachts Alpträume von Kälte und Verbannung. Bald war ich mir schon gar nicht mehr so sicher, was ich denn nun hier anfangen will. Ja, ich hatte aus einem alten Leben in ein neues aufbrechen wollen, aus einer vertrauten Sprache in eine fremde, und vielleicht habe ich sogar so etwas wie eine Verwandlung erhofft.

Habe ich denn nicht mein ganzes Leben geseufzt, nach Paris! nach Paris! Und dann habe ich eines Tages in einem Zug gesessen, und der Zug ist irgendwo angekommen, und sie sagten, es sei Paris. Aus Lautsprechern schrie es mich an: Pariii Est! Pariii Est! Ich kam aus dem Osten, ja. Ich habe mich in dem Bahnhof, der sehr hell und sehr groß ist, umgesehen wie in einer neuen Wohnung, die man zum erstenmal betritt; man sieht die kahlen Wände an und fragt sich, was einen hier wohl erwartet und was man alles erleben wird, und ist ängstlich und neugierig zugleich und auch stolz, daß man sich in das Abenteuer gestürzt hat und daß es nun kein Zurück mehr gibt.

Aber schon, als ich aus dem Bahnhof in die Stadt hinaus wollte, war kein Weg da und keine Straße, nur eine lose Absperrung, eine Baustelle, Bagger, Kräne, lärmende Maschinen und eine riesige Baugrube; ich bin wieder in den Bahnhof hineingegangen und aus einem anderen Ausgang wieder hinaus, doch da standen auch nur wieder die Bagger, Kräne, lärmenden Maschinen und gähnte die riesige Baugrube, und ich bin noch durch hundert Eingänge und Ausgänge wieder herein- und wieder herausgehetzt, es war, als ob wirklich kein Zugang in diese Stadt hinein zu finden wäre. Plötzlich aber stand ich doch auf einem Platz, da fiel ein Boulevard direkt vom Bahnhof hinunter, ein Straßenfall, ein breiter Fluß mit bunten Schiffchen, und ich lief an seinen beiden Ufern hinauf und hinunter. Aber was nun? Eine kleine Verzweiflung hatte mich schon gepackt, eine Kopflosigkeit jedenfalls – wohin, wo entlang? Irgendwohin mußte ich ja nun, einmal angekommen, gehen, doch ich hatte ja noch nie daran gedacht, daß ich in eine richtige Stadt käme, mit großen Straßen, Avenuen, Bezirken, in alle Himmelsrichtungen ausgebreitet, und müßte mich entscheiden, wo entlang, und es wäre nicht ein Ball von Träumen, der vor mir springt, und ich liefe ihm nach und holte ihn mir.

Aus meiner Höhle im Souterrain bin ich dann jeden Tag auf Streifzüge längs und quer durch die Stadt gegangen, über Straßen, Boulevards und Alleen und winzig kleine und riesengroße Plätze und durch schattige Parks, und habe mich in Kirchen und Cafés gesetzt, die am Wege waren, und habe die Linien der Metro abgefahren und ihre Gänge und Treppen und Tunnel kilometerlang durchlaufen, und manchmal bin ich auch in einen Vorortzug gestiegen und wieder hinaus aus der Stadt gefahren und in das flache Land hineingelaufen, mit einer Art Elan, der wie eine Wut war, als ob ich das Land überrennen und es mir unterwerfen könnte.

Und so hatte ich bald manches gesehen, was ich lieber nicht hätte sehen wollen, und fühlte mich überhaupt viel mehr wie ein Einwanderer nach Amerika vor hundert Jahren: Nun sitzt er auf Ellis Island, der verdammten Insel, hat sein ganzes Leben hinter sich abgebrochen und Amerika noch nicht mal mit einem Fuß betreten, aber er ahnt schon die grausamen Wahrheiten der neuen Welt und muß sich manchmal fragen, ob er nicht viel zuviel für viel zuwenig hergegeben hat. Ein Zurück in sein russisches, polnisches, ungarisches, litauisches oder sonst ein Dorf aber gibt es nicht mehr, ganz im Gegenteil, die Geschwister, Onkel, Tanten und Freunde wollen auch bald nachkommen, und dann soll er, der jetzt noch so erstarrt auf Ellis Island sitzt, doch etwas aufgebaut haben – ein neues Leben.

Manchmal bin ich mitten in der Stadt, in irgendeiner Straße, einfach in einen fremden Hauseingang hineingegangen und die Treppe hochgestiegen, als ob ich da wohnte und immer da hineinginge. Da waren breite Steintreppen und weiche Teppiche über den Stufen, so daß man ohne ein Geräusch von Schritten lief, und ich steckte die Nase auch noch aus dem Fenster nach hinten hinaus und sah einen heimlichen Garten, einen mit nicht zuviel Sonne und nicht zuviel Schatten, und plötzlich berührte mich ein ganz unbekannter Geruch, ein fremder, ohne Vergleich und ohne Erinnerung, als ob es vielleicht doch noch eine ganz andere Welt gäbe, in der nicht alles an alles erinnert.

Aber wenn ich so durch Straßen und Höfe ging und wollte nur einfach ein bißchen zuschauen, wie es so ist und was sie da machen, dann fühlte ich mich nicht gerade willkommen. Die Leute erschienen mir mißtrauisch, sie fragten gleich, ob ich jemanden suche, und wenn ich sagte, nein, niemanden, nichts, ich gehe nur so hier entlang, dann fanden sie das unpassend und überflüssig, und ich verschwand lieber wieder durch das nächste Tor.

Einmal habe ich mich ganz nah von meiner Straße, die so laut und voller Verkehr ist, in eine Gegend verlaufen, die einem Dorf ähnelt, mitten in der Stadt. Ein hügeliges, buckliges Quartier, krumme Straßen, die hinauf und hinab in Schleifen und Kurven führen, mit Treppchen, Geländern, verrosteten Laternen und alten Frauen, die in Pantoffeln und Morgenrock dort wohl schon jahrhundertelang ihre Hunde spazierenführen. Jedes Haus ist verschieden vom nächsten, ganz niedrig nur, höchstens zwei Stockwerke, schmal, meistens auch schief, sich über die Straße neigend, so daß sie noch enger scheint. Die Wege steigen alle zu einem winzigen Platz hinauf, dem Gipfel des Berges. Ich sah mich nach einem Straßenschild um, da stand »butte aux cailles«, Wachtelberg. Auf dem Gipfel des Wachtelberges drängen sich, wie könnte es anders sein, Cafés und

Kneipen, die Stühle und Tische stehen draußen auf dem schmalen Trottoir, beinahe zwischen den Autos, Menschenschwärme drumherum. Es kam mir vor, als hielte dort ein kleines Volk seine Versammlung ab, so sehr schienen sie alle zusammenzugehören. Ab und zu hielten Autofahrer neben den Tischen an, kurbelten die Fenster runter und redeten einfach mit. Sie reden ja hier alle immer so viel, immerzu reden sie.

Ich hörte sie, aber ich verstand sie nicht. Sie begrüßten sich alle, küßten sich alle, lachten, gingen, kamen, gingen wieder, und dann sah man einen von den Männern, der gerade gegangen war, im Fenster des gegenüberliegenden Hauses wieder, es öffnete sich ja halb über dem Tisch, er rief noch etwas hinunter, und die anderen riefen noch etwas hinauf.

Für einen Moment habe ich mich dazusetzen wollen. Ich fand noch einen einzigen freien Stuhl, allein an einem Tisch, von dem alle anderen Stühle schon längst weggeholt waren. Aber weil es so eng war, habe ich trotzdem ganz nah bei dem Wachtelbergvolk gesessen. Wie in einer Theatervorstellung saß ich da in der ersten Reihe, ganz dicht an der Bühne, sah dem Schauspiel ihrer Volksversammlung zu und erkannte auch schon die Dramaturgie und die Verteilung der Rollen. Die Hauptpersonen blieben nämlich die ganze Zeit sitzen, und nur die Nebenrollen und Statisten hatten wechselnde Auftritte. Ich mußte lachen, wenn sie lachten, war schon gefangen in ihrem Stück – da haben sie mich fragend angesehen. Ich verstand. Ich hatte ihnen einen Platz weggenommen, eine halbe Stunde lang saß ich schon da. So bin ich wieder weggegangen und wußte nicht, ob ich im Weggehen grüßen und »Salut« sagen sollte, wagte es nicht und hätte doch gerne auf Wiedersehen gesagt. Während ich mich entfernte, habe ich noch lange den Lärm des Wachtelbergvolkes hinter mir gehört.

Ach, es ist ja schön, herumzulaufen auf fremdem Pflaster, eine Spaziergängerin, dahin, dorthin, irgendwo herum. Aber es ist schwer, zu kommen, ein bißchen zu bleiben und wieder zu gehen. Und daß ich ganz kurz zu ihnen gehört habe, das haben sie wohl gar nicht bemerkt.

Immerzu habe ich auf meinen Streifzügen darüber nachdenken müssen, was denn nun hier aus mir werden soll, ob und wie ich mich als Künstlerin durchschlagen oder ob und wie ich eine Arbeit finden könnte. Es fiel mir schwer, das neue Leben zu beginnen, und ich dachte viel mehr an alles, was hinter mir lag, an meinen Vater, vor dem ich weggelaufen war, weil er mein ganzes Leben lang zuviel von mir verlangt hatte, an meine Freunde, derer ich überdrüssig geworden war, und an das Berliner Theater, an dem ich nicht länger hatte arbeiten wollen. Jetzt schrieb ich Ansichtskarten an meinen Vater, an meine Freunde und an die Kollegen vom Berliner Theater und fühlte mich fern und abgeschnitten, so losgelassen und allein wie Adam und

Eva oben auf der Brüstung von Notre-Dame. Unter ihnen sind Hunderte Heilige stumpfsinnig nebeneinander aufgereiht, aber die beiden, Adam und Eva, stehen da oben ganz allein, als ob sie herunterspringen wollten, weit voneinander entfernt, niemanden neben sich und nackt. Und unten, um die Füße von Notre-Dame, wimmeln die Menschen in Scharen herum, ganze Völker, rufen und reden in vielen Sprachen und laufen in Gruppen hinter Führern mit Wimpeln ihrer Sprache her, aber manche stehen nur und sehen nach oben, und manche reden und manche schweigen, manche gehen herum, manche laufen und haben es eilig, andere rennen sogar, manche streiten sich, manche küssen sich, manche sitzen auf den Bänken, manche schlafen auf den Bänken, manche lesen, andere essen aus mitgebrachten Beuteln oder kaufen sich an einer Bude eine Coca-Cola, und manche schreiben Ansichtskarten, so wie ich.

Wenn ich in einem Café saß, stundenlang oder halbe Tage, und Briefe schrieb oder ein Buch las, das ich mitgebracht hatte, denn am Anfang las ich nur Bücher, die noch aus Berlin stammten, die ich also schon kannte, oder wenn ich Vokabeln für den Französischkurs an der Volkshochschule lernte und versuchte, die Formeln des täglichen Lebens um mich herum aufzuschnappen – merci – merci de même –, war ich oft hin und her gerissen zwischen einem Wohlgefühl der Fremde, dem Stolz, daß ich die Kraft gehabt hatte, mich von meinem alten Le-

ben zu trennen, und einer Art Heimweh, das gar
kein richtiger Schmerz war, sondern nur darin be-
stand, daß ich fast immer an eine andere Zeit dachte,
eine frühere. Zum Beispiel an die Sommer, in denen
ich mit meinen Freundinnen in Budapest im Café
saß, meistens war es das »Vörösmarty«, das ja in
Wirklichkeit »Gerbeaud« heißt und noch aus der
k. k.-Zeit stammt, zwischen alten Damen mit Hü-
ten und viel Schmuck um Hals und Arme, jungen
Schriftstellern, die man leicht an den Blätterstapeln
erkennen konnte, die sie, ohne aufzublicken, beschrieben, und anderen jungen Männern, bei denen
es sich auch auf jeden Fall um Künstler handelte und
in die wir verliebt waren wegen ihrer Werke, die wir
zwar nicht kannten, aber dennoch bewunderten.
Stunden um Stunden saßen wir dort, einmal brachten wir es auf einen Rekord von neun Stunden un-
unterbrochenen Sitzens, Redens und Kuchenessens.
Wir aßen eine bestimmte Sorte kleiner Küchlein, die
»Indianer« heißen, ein dünner Teig mit Schokola-
denglasur außen und innen gefüllt mit ungesüßter
Schlagsahne. Wir aßen einen »Indianer« nach dem
anderen und verließen unseren Platz nicht, weder
um spazierenzugehen, noch um in der Donau zu
schwimmen, noch um die Stadt zu besichtigen, oder
die Museen, wir wollten lieber beieinander sitzen
bleiben zwischen den alten Damen und den Künst-
lern.

Damals waren wir unglücklich, weil wir eine
große Sehnsucht nach etwas ganz Unbestimmtem

hatten, und nun saß ich hier und hatte immer noch Sehnsucht nach etwas ganz Unbestimmtem und Heimweh nach meinen Freundinnen und meinem Vater. Saß da oder lief herum wie auf Ellis Island, eine Einwanderin, eine Auswanderin, eine Spaziergängerin.

Als der Lastwagen vor meinem Souterrainfenster stand, seine doppelten Räder direkt vor dem halben Fenster über der Erde, wußte ich sofort, daß er mir nun meine Sachen bringen würde, die ich in Berlin eingepackt und sorgfältig verschnürt und beschriftet hatte, tagelang, Stück für Stück. Ich hatte sie in einen Container gepackt, eine große metallene Kiste, etwas, was wohl früher ein Schiffskoffer gewesen wäre, den hatten sie mir mitten ins Zimmer gestellt. Aber jetzt war in dem Container alles durcheinandergeraten, Kisten und Kartons standen sperrangelweit offen, das Unterste lag zuoberst, Strippen und Schnüre hingen sinnlos herunter und bildeten Knoten, die unauflöslich waren, manches konnte ich gar nicht wiederfinden, was ich ganz sicher eingepackt hatte, und einiges war hinzugekommen, das nie dagewesen war und mir gar nicht gehörte. Und dazwischen fanden sich Pakete, die noch den Staub vom Keller der alten Wohnung trugen, Pakete, die ich nie geöffnet, sondern nur so mitgeschleppt hatte über die Jahre.

Ich habe angefangen, die Sachen aus dem Container in die Wohnung zu räumen, die paar Möbel, die Bücher, die Kartons, die Staffelei, meine Bilder und das Geschirr, und nach den ersten Einkäufen haben sich die Lebensmittel in den fremden Verpackungen und überhaupt neue Gegenstände mit den alten Gegenständen vermischt, erste Butter, erster Zucker, erste Glühbirnen, und die Stecker mußten ausgewechselt werden.

Ganz unten in die Kartons hatte ich Briefe hineingesteckt, alle die alten Briefe, die ich über Jahre in Bündeln zusammengelegt und aufgehoben hatte, jetzt flogen sie in dem Souterrain offen herum, Blätter, die immer gelber und gelber wurden, jahrelang hatte ich sie nicht mehr auseinandergefaltet, und auch jetzt wagte ich nicht hineinzuschauen, während ich sie neu stapelte und bündelte und wieder ganz unten in die Kartons steckte. Wenn mein Blick doch auf eine Seite fiel, dann erschrak ich, so fern waren mir diese Schriften aus einer anderen Zeit, wie Nachrichten aus der Unterwelt erschienen sie mir, die mich bei längerem Hinsehen ganz hinunterziehen könnten.

Zuoberst auf eines der Bündel ganz unten in dem Karton legte ich den Brief meines Vaters, den er mir gleich nach meiner Abreise geschrieben hatte.

Meine liebe Tochter!
Ich muß Dir sagen, daß ich alles nicht recht begreifen kann, obwohl wir über Deinen Auszug ja oft gesprochen haben.

Ich denke immer an einen Hölderlinvers, der mir seit meinen sehr fernen Jünglingsjahren an der Odenwaldschule nicht aus dem Kopf gegangen ist: »Trennen wollten wir uns, wähnten es gut und klug. / Da wirs taten, warum schreckte wie Mord uns die Tat. / Ach, wir kennen uns wenig.« So ungefähr heißt es wohl.

In Liebe, Dein Vater.

Mord hatte mein Vater unterstrichen.

Als Kind war ich ein kleines Kind, und als Erwachsene blieb ich eine kleine Erwachsene. Mein Vater war mit meiner Gestalt unzufrieden oder sogar unglücklich darüber; er hörte nie auf, abfällige Bemerkungen über mein Äußeres zu machen, und weil ich es ihm schon mit meinem Aussehen nicht recht machen konnte, habe ich mich auch selber mit dieser Gestalt nur schwer abfinden können. Er sagte, daß er mich trotzdem liebe, aber er sagte es in einer Art, als ob ich seine Liebe nie erwidert hätte, es war ein Vorwurf; er klagte mich mangelnder Liebe zu ihm, ja, der Kälte und Gleichgültigkeit an: Unsere Gespräche seien immer zu kurz, nicht ausführlich genug, ich konzentriere mich nicht richtig auf ihn, sei abwesend, melde mich viel zu selten – und dabei war er es doch gewesen, der fortgegangen war. So ist unsere Liebe, weil wir immer getrennt voneinander lebten und wegen der wechselseitigen Forderungen, die nie erfüllt wurden, nur wie eine Liebe von weit her geblieben, so als sei es nur ein Einsammeln von Begegnungen und gemeinsamen Erlebnissen gewesen und nie ein Zusammensein.

Mein Vater war viermal verheiratet, irgendwo in der Mitte mit meiner Mutter, sie war seine zweite Frau. Aber ich kann mich nicht mehr an eine Zeit erinnern, in der sie zusammenlebten, vielmehr nur daran, wie ich meinen Vater an den Wochenenden und in den Ferien besucht habe, in den Wohnungen der dritten und vierten Frau, den Nachfolgerinnen meiner Mutter. Das waren fremde Wohnungen, in denen ich den Platz, den mein Vater dort hatte, nur schwer erkennen konnte, und wo von mir ein paar Sachen in einem Karton aufgehoben wurden, die ich mitbrachte oder geschenkt bekam und die sich mit den Jahren häuften; nach dem Wochenende, wenn ich zurück zu meiner Mutter ging, wurde der Karton wieder weggeräumt.

Samstags holte mein Vater mich immer mit dem Auto von der Schule ab, und ich hatte den ganzen Vormittag Angst, daß ich wegen irgendeiner Dummheit oder Vergeßlichkeit nachsitzen müßte und er würde dann vor der Schule stehen und eine Stunde warten und mir Vorwürfe machen, wenn ich endlich käme, ein schlechter Anfang für unser Wochenende.

Wir fuhren durch die ganze Stadt zu seiner Wohnung. Das war wie eine Reise in ein anderes Land, denn ich lebte sonst nur in der Gegend um das Haus meiner Mutter herum, in einem ruhigen äußeren Bezirk, wo man mit Rollschuhen auf der Straße fahren und durch die Gärten bis zur Spree laufen konnte. Mein Vater wohnte in einem ganz anderen Teil der Stadt, mitten im Zentrum, wo ich niemanden kannte und keine Freundin hatte. Eine Haushälterin servierte uns ein Mittagessen; die dritte Frau meines Vaters, eine Schauspielerin, die viel jünger war als er, kam meistens erst nach der Probe, am Nachmittag, nach Hause. Sie hatte einen großen Schminktisch in ihrem Zimmer und einen riesigen Kleiderschrank, aus dem ich mir manchmal ihre Kleider holen und mich verkleiden durfte. Einmal, als mein Vater seinen Nachmittagsschlaf hielt, habe ich mich an den Schminktisch gesetzt und mich angemalt, die Augenbrauen und die Wimpern schwarz, um die Augen herum grün und lila und blau, Rosé auf die Wangen und Rot auf die Lippen, und habe einen rotgepunkteten Unterrock aus dem Schrank der Schauspielerin angezogen und einen Hut aufgesetzt. Dann habe ich meinen Vater geweckt, er hat mich ganz fassungslos angesehen und alles gleich mit der Hand wieder abgewischt, ohne hinzusehen.

Abends haben wir die Schauspielerin oft ins Theater begleitet, und mein Vater und ich sahen von der Seite, in den Kulissen neben dem Feuerwehrmann stehend, dem Stück zu, in dem sie spielte. Diesen Platz, neben dem Feuerwehrmann, zogen wir dem Zuschauerraum vor, denn hier war die Illusion nicht so beherrschend, das Theater fand nur in einem Raum des großen Hauses statt, dessen andere Räume für uns sichtbar blieben, und das Kommen und Gehen der Leute hinter und neben uns und um die Bühne herum war beruhigend und schwindelerregend zugleich. Wenn die Bühnenarbeiter oder Schaupieler, die zur Kantine gingen, die große Tür aufstießen, durch die die Dekorationen hinaus- und hereingebracht wurden, die große Tür, die zum Hof ging, dann wurde der abendliche Himmel sichtbar, der im Sommer oft noch hell war, und die Höfe der nachbarlichen Häuser und auch die Kantine selber – ein kleiner Pavillon. Die Geräusche der Stadt und der Höfe und die lauten Gespräche aus der Kantine drangen bis zu uns und fast hinein in die Angespanntheit der Theatervorstellung und die Dunkelheit, in der die Zuschauer reglos saßen und dem Stück folgten, und nur wir standen zwischen dem dunklen Zuschauerraum und der künstlichen Welt auf der Bühne und der Welt hinter der großen Tür nach draußen, die aber irgendwie auch nicht die richtige Welt zu sein schien. Die Bühnenarbeiter, jeder mit einer Flasche Bier in der Jackentasche, bauten schon neue Dekorationen in einem Teil der Bühne auf, der noch im Dunkeln und für die Zuschauer, aber nicht für uns, im Verborgenen blieb, und die Schauspieler saßen, auf ihren Auftritt wartend, neben der Bühne herum und lasen die »BZ am Abend«, manchmal winkten sie uns, schon halb auf die Bühne tretend, zu oder schnitten noch schnell eine Grimasse. Wenn die Vorstellung zu Ende war, gingen wir in die Garderobe der Schauspielerin, und ich sah zu, wie sie ihre Maske abnahm und ihr Kostüm auszog und sich wieder in die Frau meines Vaters verwandelte, die Nachfolgerin meiner Mutter.

Mit der Schauspielerin wollte mein Vater auch noch ein Kind zeugen, aber sie brachten es irgendwie nicht zustande, und viele Male besuchte ich sie an den Wochenenden mit meinem Vater in einem Krankenhaus, da lag sie nach einer Fehlgeburt oder Bauchhöhlenschwangerschaft, und wir mußten zusehen, wie sie weinte. Manchmal brachte ich meine Spitzenschuhe und mein Tütü von der Ballettstunde mit und tanzte ihr, um sie aufzuheitern, zwischen den Betten und Nachttischen auf Rädern ein Solo oder Pas de deux aus Schwanensee oder Dornröschen vor, der Bettpfosten aus Aluminium war mein Partner, die Musik pfiff ich oder sang ich dazu, lalala. Und einmal sind sie mit mir in das Zimmer des Arztes gegangen und haben mir ein Glas gezeigt, in dem in einer Flüssigkeit ein Embryo schwamm, und sagten, das sei mein Bruder, der nicht geboren wird.

Später hat mein Vater die Schauspielerin verlassen und eine noch viel jüngere Frau, die Museumsdirektorin aus Weimar, geheiratet und ist zu ihr ins Schloß Belvedere gezogen; sie war seine vierte und letzte Frau. Zu dieser Zeit hatte er schon genug von Berlin, und es war ihm wohl recht, sich unter das Dach vom Belvedere, neben das Tischleindeckdich von Goethe und Karl August, ziemlich weit weg von allem anderen zurückzuziehen. Sie wohnten ganz allein in dem Schloß, das in all den Jahren eine Baustelle blieb.

Von nun an mußte ich wirklich in eine andere Stadt fahren, um meinen Vater zu sehen. Manchmal haben wir uns auch in der Mitte getroffen oder sind zusammen für ein paar Tage weggefahren, in ein Hotel nach Prag oder Budapest oder irgendwohin ins Gebirge. Als ich später selbst eine Wohnung hatte, kam er auch wieder nach Berlin und hat bei mir auf dem Sofa in der Küche geschlafen und sich ganz als ein Besucher aufgeführt, so als habe er niemals in dieser Stadt gelebt.

In meiner ganzen Kindheit bin ich zwischen meinen Eltern hin und her gependelt, und es hat mir weh getan, zu kommen, zu gehen, wieder zu kommen und wieder zu gehen, und so hat es wohl zwischen uns nie etwas ganz Vertrautes gegeben, weil sich immer von neuem, bei jedem Wiedersehen, die Schalen der Fremdheit darübergelegt haben.

Meine Mutter stammte aus Bulgarien. Meinen Vater hatte sie in England kennengelernt und war ihm nach dem Krieg nach Berlin gefolgt, da wollten sie ja ein neues Deutschland aufbauen. Aber in Berlin hat sie sich nie einleben können. Sie behielt immer eine große Feindseligkeit gegen diese Stadt, in der sie sich verlief und verirrte und überhaupt nicht orientieren konnte, und auch nach vielen Jahren noch sprach sie mit einem starken Akzent ein fehlerhaftes Deutsch, so daß jeder sie fragte, woher sie denn käme. Und weil sie schon viele Jahre in Wien, Paris und London gelebt hatte, konnte sie nicht einfach sagen, ich komme aus Bulgarien. Doch die ganze Geschichte wollte ja auch keiner hören. So hat sie sich eines Tages, nachdem mein Vater sie schon lange verlassen hatte und sie immer allein geblieben war, entschlossen, wieder nach Bulgarien zurückzugehen. In Sofia hatte sie noch Familie und Freunde von vor dem Krieg, da hoffte sie, sich besser zurechtzufinden und endlich wieder in ihre Muttersprache zurückkehren zu können. Ihren Entschluß hat sie lange aufgeschoben, aber nachdem ich die Schule beendet hatte und auf die Universität ging, fuhr sie nach Sofia und suchte sich eine Wohnung und ist nicht ein einziges Mal mehr nach Berlin zurückgekommen.

In den Ferien habe ich meine Mutter oft in Bulgarien besucht, und wir sind dann zusammen ans Schwarze Meer oder ins Rila-Gebirge gefahren. Mit den Jahren sprach sie aber mehr und mehr nur noch Bulgarisch, eine Sprache, die ich nicht schön fand und die ich nicht verstand, so daß ich als eine Fremde zwischen den Onkeln und Tanten und Freunden von vor dem Krieg saß. Kurz vor ihrem Tode haben wir gar nicht mehr miteinander sprechen können, weil sie nur noch Bulgarisch verstand, doch das hatte ich ja nie gelernt.

Auf dem Stadtplan von Paris, den ich als ein erstes Bild in mein Souterrain an die Wand heftete, habe ich mir gleich zu Anfang die Straßen angesehen, in denen meine Eltern vor dem Krieg wohnten, ich habe sie sogar mit einem Stift rot eingekreist, obwohl ich gar nicht sicher war, ob ich dorthin gehen sollte, denn was konnte ich denn erwarten, dort zu sehen? Ich wollte ja auch nicht immer in den Spuren meiner Eltern bleiben, wenngleich ich wußte, daß ich auch nicht aus ihnen herauskomme und mein Auswandern vielleicht nur der Traum von einer wirklichen Trennung, der Wunsch nach einem wurzellosen Leben war. Mehr als von allem anderen bin ich vielleicht von meinen Eltern weggelaufen und lief ihnen doch hinterher.

Als sie in Paris lebten, kannten sich meine Eltern noch nicht, mein Vater war mit einer anderen Frau verheiratet und meine Mutter mit einem anderen Mann. Sie war als Flüchtling aus Wien gekommen, und mein Vater war Korrespondent der »Vossischen Zeitung«, bevor er auch ein Flüchtling wurde.

Meine Mutter hat erzählt, sie sei damals reich gewesen, sie habe eine Wohnung am Quai d'Orsay mit dem Blick auf die Seine gehabt, eine Wohnung mit riesigen Zimmern, Sälen, und einem Halbrund aus Fenstern, und habe die ganze Pariser Künstlerwelt gekannt, tout Paris, alle die Zugereisten aus allen nur möglichen Ländern, und große Feste gegeben und nächtelang getanzt, in einem rosaseidenen Kleid mit tiefem Dekolleté und einem Hut mit einer Federboa. Tatsächlich fand ich im Keller unserer Berliner Wohnung einen alten Pappkarton mit einer Federboa und einem rosaseidenen Handtäschchen darin, das wohl zu dem Kleid gepaßt haben muß; meine Freundinnen und ich spielten damit »feine Dame«, und ich konnte eigentlich schwer glauben, daß diese Requisiten im Leben meiner Mutter einmal eine Rolle gespielt hatten.

Irgendwann bin ich dann den Quai d'Orsay entlanggegangen und habe mich vor ihr Haus gestellt, ich suchte mir irgendeines aus, weil ich ja nicht wußte, welches es gewesen war. Natürlich gibt es dort gar nichts zu sehen, und es ist vielmehr, als sei eine Welle über ihre Anwesenheit zusammengeschlagen und alles ist einfach untergegangen.

Als Hitler meiner Mutter nach Paris folgte, ist sie nach London gezogen. Dort hat sie meinen Vater geheiratet, der inzwischen Journalist bei Reuter war, weil es keine »Vossische Zeitung« mehr gab; er hatte sich von seiner ersten Frau getrennt und meine Mutter von ihrem ersten Mann. Nach London ist Hitler nicht gekommen, aber er hat jede Nacht Bomben auf die Stadt hageln lassen, und so mußten sie immer wieder neue Wohnungen suchen, weil die alten zerbombt waren; nachts schliefen sie sowieso nur noch im fensterlosen Badezimmer, weil, wenn man überhaupt am Leben blieb, die Splitter der zerspringenden Fensterscheiben das Gefährlichste waren, und am Tag stellte mein Vater bei Reuter für die englischen Zeitungen die Nachrichten aus dem Krieg zusammen, während meine Mutter in einem Rüstungsbetrieb englische Unterseeboote für den Krieg gegen Deutschland montierte. Sie wollten sich wehren. Und Hitler wurde besiegt. Er hat verloren und meine Eltern haben gesiegt. Sie verließen England wieder und gingen dahin zurück, wo alles begonnen hatte, an den Ort, von dem aus Hitler ihnen nachgesetzt hatte, nach Berlin.

Mein Vater ist zuerst angekommen, mit ein paar Koffern, nach einer langen umständlichen Reise durch ganz Europa, denn der Krieg war zwar zu Ende, aber wie im Frieden war es auch noch nicht. Während der Reise hatte er den Entschluß gefaßt, nicht länger für Reuter und die Engländer zu arbeiten, sondern zu den Russen nach Ost-Berlin überzulaufen. Er war Kommunist geworden.

Meine Mutter kam fast ein Jahr später, als hätte sie noch gezögert. Sie war von London zunächst nach Bulgarien gereist, um nach ihrer Familie und ihren Freunden zu sehen und ihnen zu zeigen, daß sie selbst noch am Leben war, dann erst hat sie meinen

Vater in Berlin wiedergetroffen. Sie kam mit blutrot lackierten Fingernägeln, wie er erzählte.

Weil sie Juden waren, ist die Emigration und sind die Bomben auf London nicht einmal das Schlimmste gewesen. Meine Eltern konnten sogar sagen, daß sie noch Glück gehabt hatten, aber sie mußten für den Rest ihres Lebens mit den Bildern und Berichten derer leben, die kein Glück gehabt hatten, und das muß eine schwere Last gewesen sein, so schwer, daß sie immer so taten, als hätten sie damit gar nichts zu tun gehabt und als hätte niemand jemals zu ihnen gehört, der in einem Getto verreckt oder in Auschwitz vergast worden ist; mein Vater sprach viel lieber nur von seinen Vorfahren an der hessischen Bergstraße, die Hofärzte und Hofbankiers der Großherzöge von Hessen-Darmstadt gewesen waren. Und schließlich waren sie nach Berlin gekommen, um ein neues Deutschland aufzubauen, es sollte ja ganz anders werden als das alte, deshalb wollte man von den Juden besser gar nicht mehr sprechen. Aber irgendwie ist alles nicht geglückt, und eines Tages mußten sie sich sogar für das Land ihres Exils rechtfertigen, warum es ein westliches Land war und nicht die Sowjetunion. Meine Mutter glaubte wenigstens zu wissen, warum sie sich schlecht und schlechter fühlte. Sie war schon zu lange durch zu viele Länder gezogen, jetzt wollte sie wieder nach Hause. Aber mein Vater war doch nach Hause zurückgekehrt, nach Deutschland, wo er herkam, wenn auch nicht nach Hessen-Darmstadt, sondern nach Ost-Berlin, zu den Russen, den Kommunisten; vielleicht aber war es dieses Überlaufen, das es ihm, wenn er an seine Herkunft dachte, doch wie ein fremdes Land erscheinen ließ. Zu allen möglichen Zeiten und Anlässen habe ich ihn sagen gehört, eigentlich weiß ich nicht, wo ich herstamme, weiß auch nicht, wo ich jetzt hingehöre. Und einmal hat er hinzugefügt: Vielleicht war alles immer nur wie mit Martha. Als ich ihn fragte, wer ist Martha, was war mit Martha, erzähl, was passiert ist mit ihr, sagte er: Das ist eine ganz alte Geschichte aus meiner Kinderzeit, aber sie hat wohl nie aufgehört. Alle meine Ideen, meine Berufe, meine Frauen und selbst alle die Orte, an denen ich in meinem Leben gelebt habe, alles war eigentlich immer nur Martha.

Wir trugen gerade die vollen Einkaufstaschen den Weg von Oberweimar zum Schloß Belvedere hinauf. Mein Vater ging fast jeden Tag hinunter, um in dem kleinen HO-Laden einzukaufen, was sie so brauchten: Brot, Milch, Butter, Eier, Bier, und immer redeten ihn die Verkäuferinnen in der HO mit »Herr Professor« an, obwohl er ihnen schon tausendmal erklärt hatte, daß er kein Professor sei und nie gewesen war. Wir hatten die Taschen abgestellt und ruhten uns an der Kreuzung aus, an der man zwischen zwei Wegen wählen kann, dem über die breite Belvedere-Allee, auf der man im Schatten der alten Bäume zu beiden Seiten läuft, oder dem über die Ilmwiesen und Felder, hintenherum, ein Weg, der am Ende ziemlich steil wird und eigentlich wenig geeignet ist, um ihn mit vollen Einkaufstaschen hinaufzusteigen, aber man hat dort einen freien Blick über die ganze Gegend, sogar bis hinüber nach Buchenwald.

Als ich ein kleiner Junge war, erzählte mein Vater, wollte ich einmal ein Theaterstück schreiben und aufführen. Ich war ganz besessen von der Idee und kündigte es meinen Eltern an; es sollte »Martha« heißen, und sie sollten die ganze Familie an einem bestimmten Tag einladen, da werde die Uraufführung sein. Mein Vater, der Professor, war stolz auf mich und lud die ganze Familie und die Kollegen aus dem Sanatorium in unsere pompöse Wohnung in der großen Villa in Wiesbaden ein, und ich habe mich darangemacht, den großen Abend vorzubereiten, Kostüme zurechtgeschnitten, den Salon in eine passende Dekoration verwandelt, ein Programmheft geschrieben, ein Personenverzeichnis verfaßt und auch noch extra Einladungen und Ankündigungen für die Premiere von »Martha« an ausgesuchte Personen verschickt. Aber als es dann soweit war und die Onkel und Tanten und Kollegen aus dem Sanatorium sich in dem Theater-Salon versammelt hatten und auf den Beginn von »Martha« warteten, als nun also der große Moment endlich gekommen war, auf den ich mich so lange vorbereitet hatte, da ist mir plötzlich klargeworden, daß ich nur eines in der großen Aufregung und Freude vergessen hatte, nämlich: das Stück zu schreiben. »Martha« war nur mein Traum von einem Theaterstück gewesen, der Traum von einem großen Abend, der nur mein Abend, mein Erfolg und Ruhm gewesen wäre, aber das Stück existierte gar nicht, ich hatte ganz vergessen es zu schreiben. Ich bin trotzdem aufgetreten, habe gesagt:

»Das ist furchtbar.

Das ist schrecklich.

Es ist ganz entsetzlich.«

Und das war alles von »Martha«.

Manchmal ist es mir fast unmöglich erschienen, mein ganzes durcheinandergeratenes Lebenswerk, so wie es mir aus dem Container entgegengefallen war, wieder in eine Art Ordnung zu bringen, und ich war schon erschöpft von den Eindrücken der neuen Welt. Eigentlich hatte ich gar keine Kraft mehr, immer wieder loszugehen, und vielmehr Lust, einfach auf meinem Bett liegenzubleiben, um Luft zu holen, und oft dachte ich, daß es nun überhaupt genug sei mit den großen Veränderungen und daß ich diese dauernde Bewegung lieber anhalten wolle, weil ich schon außer Atem war.

Warum hatte ich eigentlich alles hinter mir stehen- und liegenlassen wie einer, der flüchten muß?

Es war so eine Idee gewesen, daß man immer wieder in ein neues Land, eine neue Heimat aufbrechen müsse, auch wenn es wieder nur eine Provinz wäre. In der ganzen Stadt Berlin war doch von nichts anderem gesprochen worden als davon, daß man nicht ewig an einem Fleck bleiben könne, daß es sonst ein kindisches Leben sei, wie bei einem, der nie von zu

Hause weggeht. Überall wurde nur darüber geredet, in der Kantine des Berliner Theaters oder in meiner Wohnung, wo wir in der Küche um den großen Tisch herum saßen. Eigentlich kamen wir in dieser Zeit überhaupt kaum noch aus den Wohnungen heraus, denn wozu auch, man kannte ja alles bis zum Überdruß. Drinnen, in den Wohnungen, trauerten und phantasierten wir über alles, was »draußen« war, und konnten uns nur schwer die Wirklichkeit eines anderen Lebens und anderer Länder und Städte vorstellen, ob es dort ähnlich oder ganz anders sei und wie man da umherginge. Wir spielten laute Musik in der Nacht, Bob Dylan oder eine Kantate von Bach, bis die Nachbarn kamen und fragten, ob wir verrückt geworden seien und ob wir am nächsten Morgen vielleicht nicht zur Arbeit gehen müßten.

Ich hatte eine kleine Wohnung im Norden von Berlin, ein Zimmer, in dem die Waschmaschine neben dem Schreibtisch stand und wo ich nie ein Telefon bekommen konnte. Vor dem Haus war die Haltestelle vom 57er Bus, mit dem ich erst jahrelang zur Universität und dann jahrelang ins Berliner Theater gefahren bin. Es war dasselbe Theater, in dem ich als Kind mit meinem Vater in den Kulissen stand, um seiner dritten Frau, der Schauspielerin, zuzusehen. Inzwischen war ich Dramaturgin und hatte kleine Artikel für die Programmhefte zu schreiben, in die Bibliotheken zu laufen, um Material für die Inszenierungen herauszusuchen, oder Anmerkungen zu den Proben zu verfassen, die ich den Dramaturgen zeigte, die schon jahrzehntelang dort arbeiteten und deren Gehilfin ich war. Irgendwann haben sie mich dann aus dem Theater rausgeworfen, das heißt, ein seit Jahren ohnehin nur provisorischer Vertrag wurde einfach nicht verlängert, ein Vertrag, gegen den ich schon längst vor einem Arbeitsgericht hätte klagen müssen, aber da es bis zu diesem Tage irgendwie auch so ging, war ich zu faul gewesen, mich gegen die Ungerechtigkeit aufzulehnen. Und langsam war ich es auch überdrüssig geworden, immer an demselben Theater zu arbeiten, immer dieselben Wege zu gehen, immer den Bus vor meinem Haus zum Berliner Theater zu nehmen, und auch mit meinen Freunden hatte ich mich zerstritten, oder vielleicht hatten wir uns auch nur durch zu lang andauernde Freundschaft satt und vom ewigen Beieinanderhocken genug voneinander. Das Vertraute war so bis zum Überdruß vertraut, daß es nur noch eine Müdigkeit und Schwäche in mir ausbreitete und eine Faulheit des Lebens, die mir angst machte.

Einmal, nach der Premiere von »Egmont«, bekam auch ich wie alle anderen einen Strauß Rosen vom Intendanten. Wir hatten die ganze Nacht hindurch gefeiert bis in die Morgenfrühe, und dann ging ich durch die Morgendämmerung nach Hause, es war Juni, Sommeranfang, man brauchte nicht zu frieren. In meinem Zimmer hatte ich das Fenster offengelassen, beide Fensterflügel standen ganz weit auf, und vor dem Fenster erstreckte sich der Straßenbahnhof,

die ersten Bahnen krochen gerade aus den Schup-
pen, dahinter lag der Zentralviehhof, von dem immer ein beißender, ekelerregender Gestank vom Tod
der Tiere herüberwehte, neben dem S-Bahnhof Leninallee kündigte die Werner-Seelenbinder-Halle irgendeinen Parteitag an, dahinter zogen sich bis zum
Horizont Fabrikhallen und Schlote und dazwischen
ragte ein kleiner, blaßblauer Kirchturm. Über alldem ging gerade die Sonne auf, als ich von der Pre-
mierenfeier zur Tür hereinkam, und färbte das
schwarze Grau der verschwindenden Nacht in ein
morgendliches gelbes und rotes Grau, und ich stand
da mit dem Blumenstrauß in der Hand, im Anblick
dieser Landschaft, die wie ein unruhiges und be-
drohliches Meer war, die Straßenbahnen und Schup-
pen und das angekarrte quiekende Schlachtvieh in
seinen Gittern und die Schlote und die ausgeschüt-
tete Morgensonne darüber. In meinem Zimmer gab
es schon viele Blumensträuße, alle, die ich einmal geschenkt bekommen hatte, trocknete ich und stellte
sie dann auf die Regale und Schränke, so daß ein ver-
staubter Blumenurwald oder Blumenfriedhof ent-
standen war, der schon seit einer ganzen Zeit die
Landschaft meines Zimmers langsam überwuchs
und überwucherte. An diesem Morgen aber, nach
der Premiere von »Egmont«, beim Anblick des weit
geöffneten Fensters, wollte ich keine Blumen mehr
aufheben und trocknen. Ich warf den Strauß Rosen
in hohem Bogen aus dem Fenster hinaus, er landete
irgendwo auf dem Straßenbahnhof, und dann ro-

dete ich den Blumenurwald und ebnete den Friedhof auf meinen Schränken und Regalen ein und warf
alle die anderen vertrockneten Blumensträuße noch
hinterher.

Manchmal hat einer von den Schauspielern am
Berliner Theater, wenn wir in der Kantine saßen,
einen Rilkevers zitiert:

> und fortzugehn: wohin? Ins Ungewisse
> weit in ein unverwandtes warmes Land,
> das hinter allem Handeln wie Kulisse
> gleichgültig sein wird: Garten oder Wand;
> und fortzugehn: warum? Aus Drang, aus
> Artung,
> aus Ungeduld, aus dunkeler Erwartung,
> aus Unverständlichkeit und Unverstand.

Dann wurde über Rilke gestritten, den die einen
abgöttisch verehrten und die anderen ganz und gar
ablehnten, und über das ungewisse fremde Land,
den Unverstand, die Unverständlichkeit, und es war
halb ernst und halb nur so dahingesagt und hörte
meist damit auf, daß einer rief, ach, laßt doch! Wenn
dann aber einer aus diesem Kreise wirklich auf-
brach, um eine neue Provinz, das neue Land zu suchen, waren alle sehr aufgebracht, und er wurde von
den Zurückgebliebenen verurteilt, als ob er sie ver-
raten hätte.

Der erste, über den so geredet wurde, war Alfried.
Er war Regisseur und hatte als einer der ersten das

Theater und das Land verlassen. Sie warfen ihm Leichtfertigkeit vor und meinten, er wisse wohl nicht, welchen Preis er dafür noch zahlen würde. Auch alle, die nach ihm gingen, wurden so angeklagt, und ich hörte zu und wußte, eines Tages würde ich auch dran sein.

Zu Hause, in meinem Zimmer, saß ich zwischen den vertrockneten Blumen, starrte aus dem Fenster auf den Straßenbahnhof und den Viehhof und konnte nur schwer glauben, daß Alfried sich wirklich einfach von allem losgerissen hatte. Ich fing an, ihm lange Briefe zu schreiben, meterlange Mitteilungen über mein Leben und meine Liebe zu ihm, die sich nun in diese Papiere verwandelte. Die Briefe stapelten sich auf dem Schreibtisch, denn ich wußte ja gar nicht, wo er nun war und wo ich sie hätte hinschicken können. So blieben sie liegen, und am Ende warf ich die meterlangen gestapelten Briefe in den Müllschlucker, wo alles, was man hineinwirft, so tief fällt, daß man es nicht wiederfinden oder wiederholen kann.

Alfried hat manchmal nach dem Theater auf mich gewartet und wir sind etwas essen gegangen oder durch den Friedrichshain spaziert, erst den Mont Klamott hoch und dann um den kleinen See herum, oder wir haben sonntags einen Ausflug in eine andere Stadt gemacht. Und immer haben wir uns Briefe geschrieben, vielmehr kleine Zettel, die wir uns gegenseitig durch die Tür schoben, nicht wie andere Leute, wenn keiner da war, sondern gerade, wenn der andere zu Hause war, denn so verbargen wir uns voreinander. Wir sagten nie, ich liebe dich, und nie, ich liebe dich auch. Wir gestikulierten nur, und die Gesten konnte man immer auch anders verstehen. Vor allem eben: kein Wort. Eine schwerverständliche Pantomime.

Wenn Alfried mich besuchte, dann war es spät in der Nacht, die Haustür war schon lange abgeschlossen, und er mußte sich in den Hof stellen und laut meinen Namen rufen, denn eine Klingel gab es an der Haustür nicht, und dann lief ich die Treppe hinunter, schloß die Tür auf und ließ ihn herein. Er blieb nur ein paar Stunden und ging schon wieder vor dem Morgengrauen, so daß tags nie jemand den sah, der nachts so laut rief, und ich war mir oft selbst nicht mehr sicher, ob ich ihn denn je gesehen hätte. Am anderen Tag waren wir wieder Kollegen am Berliner Theater.

Alfried hatte mir gesagt, daß er mich nicht in seiner Wohnung empfangen möchte, allerdings, einen Grund dafür nannte er nicht. Er sagte nichts und ich fragte nicht, wir schwiegen darüber wie über alles andere auch. Aber verstehen konnte ich es nicht, und wie zur Rache hatte ich mir vorgenommen, eines Tages einfach in seine Wohnung einzubrechen, um zu sehen, was da war, das er verbergen müßte. Er hatte etwas von einem Schlüsselversteck gesagt, erinnerte ich mich, und als er einmal ein paar Tage verreist war, machte ich mich auf, um den Schlüssel aus dem Versteck zu holen und die Tür zu öffnen, und nahm noch andere Schlüssel mit, um den Einbruch zu versuchen. Im Inneren seiner Wohnung wollte ich alles durchstöbern, durchwühlen, herausreißen und einen Zettel dalassen, ICH WAR DA, um das auferlegte Schweigen mit Gewalt zu brechen, oder besser noch mich mitten in das Chaos setzen, nachdem ich alles herausgerissen und auf die Erde geworfen hätte, und warten, bis er zurückkäme und mich fände. Was er da gesagt hätte.

Das Schlüsselversteck fand ich nicht, obwohl ich die Wände und das Fensterbrett und den Fensterrahmen neben der Tür Zentimeter um Zentimeter abtastete und kratzte und klopfte, es war umsonst. Aber mit einem der mitgebrachten Schlüssel, die ich wahllos durchprobierte und ins Schloß steckte, öffnete sich die Tür ganz leicht, sie sprang vor mir auf, und ich stand plötzlich in Alfrieds Wohnung. Ich ging durch seine Zimmer, sah, wo er arbeitete, wo er schlief, seine Küche mit einem kleinen Balkon vor dem Fenster und daß er das schmutzige Geschirr nicht abgewaschen hatte, bevor er weggegangen war, ich sah alles, aber ich konnte nichts anrühren, wollte mich gar nicht mehr weiter umsehen, ich fühlte mich ihm als ein Einbrecher zwischen all seinen Sachen nicht näher, sondern viel weiter entfernt als vorher. Ich blieb nicht dort, riß nichts heraus und legte keinen Zettel hin, ICH WAR DA, sondern ließ alles unberührt und schloß die Tür hinter mir mit dem fremden Schlüssel wieder zu, damit alles so bliebe, wie es gewesen war.

Von Anfang an habe ich Alfrieds Namen gehaßt, ich konnte ihn nicht über die Lippen bringen, weil er so germanisch klang und weil ich keinen Germanen lieben wollte, denn ich konnte, wollte und durfte den Germanen nicht verzeihen, was sie den Juden angetan hatten. Weil die Germanen Mörder gewesen waren, konnte ich Alfrieds Namen nicht aussprechen und habe Liebster und Geliebter gesagt. Denn wie gegen meinen Willen liebte ich ihn ja, und diese Liebe ist mir oft wie ein Zusammenhang oder gar Zusammenhalt vorgekommen, aus dem wir nicht heraus könnten.

Manchmal wünschte oder fürchtete ich, daß wir ein Kind hätten. Ich sah das Kind aber in Alpträumen, wie es nur lose aus einzelnen Teilen gefügt war, die nicht zusammenhielten, und wie es dann auseinanderfiel und zerbrach und nicht aufrecht bleiben konnte. Alfried habe ich von diesen Träumen nichts erzählt, denn ich wußte, daß er davon nichts hören wollte. Er vermied jedes Gespräch über unser Herkommen, unsere Gleichheit oder Ungleichheit, er wollte diese Wirklichkeit meines Lebens nicht sehen, die ich nicht gewählt hatte, aber die doch schwer wog und deren innere Wahrheit offensichtlich und verborgen zugleich war, auch für mich selbst. Vielleicht hatte auch er ein schwieriges Herkommen, aber wir schwiegen über alles, als ob da nichts wäre; eine Anspielung war schon zuviel und jede Frage eine Zumutung. Vielleicht war es die Furcht vor einem Mißverstehen oder die Unfähig-

47

keit, den anderen zu erkennen, und sogar etwas wie eine Rivalität gab es zwischen uns. Es ging immer um Gewinner oder Verlierer, und zwar wetteiferten wir nicht um den Sieg, sondern um die Niederlage, jeder fühlte sich verloren und klagte den anderen als Gewinner an. Je weniger wir über alles sprachen, desto deutlicher kam es hervor. Dabei haben wir uns nie richtig angesehen, nur verstohlen und verschämt von der Seite und von weitem, nie wirklich ins Gesicht, wie aus Angst nach einer schrecklichen Nacht, einer Bluthochzeit, am hellichten Tag danach.

Nachdem er weggegangen war, schickte mir Alfried Ansichtskarten aus allen möglichen Städten Europas, niemals einen Brief, und auf keiner der Karten fand ich eine Adresse von ihm. In der Kantine vom Berliner Theater wurde erzählt, was man von seinen Inszenierungen in den anderen Städten hörte, dieses oder jenes Stück da oder dort, in Hamburg, in Frankfurt, in München, und manchmal brachte jemand eine Kritik aus einer Zeitung mit, die wurde herumgereicht.

Und ich saß in meiner Wohnung inmitten des Blumenfriedhofes und habe mich gar nicht mehr wohl in meiner Haut gefühlt und dachte, das Weggehen könnte auch so etwas wie ein Verwandeln sein, bei dem man die alte Haut einfach abstreifen würde. Ich wollte auswandern, am liebsten nach Paris, eine neue Sprache lernen und etwas ganz Neues anfangen, vielleicht auch weiterwandern, nach Amerika zum Beispiel, wo noch niemand, den ich kannte, jemals war, ich käme wirklich als erste dorthin, keiner kennte mich und keiner stellte mir eine Frage, und wenn doch, könnte ich irgend etwas antworten, etwas Ausgedachtes aus einem ganz anderen Leben, und alles finge noch einmal ganz von vorne an.

Ich wollte mich losreißen aus dem Nest immer vertrauter Menschen, Landschaften, politischer Verhältnisse, der Sprache und der Sicherheit, die ich in alldem fand und von der ich wohl wußte, daß ich sie vielleicht niemals wiederfinden würde.

Ein paar Monate noch habe ich alles mit mir herumgeschleppt, aber dann ging ich und stellte den Antrag, der nötig war, in dem Haus, das ich leicht finden konnte, weil es dasselbe war, in dem ich jahrelang vergeblich den Antrag auf ein Telefon gestellt und die Karten für die Lieferung von Holz und Kohlen für den Ofen geholt hatte, der neben Waschmaschine und Schreibtisch stand.

Schon bald hat die weiße Karte in meinem Briefkasten gelegen, die das Signal zum Auszug und zum Beginn der Prozeduren gibt, an deren Ende es dann heißt, daß man nun gehen könne, wie man es ja gewünscht hatte, und daß es nur noch eine kurze Frist gäbe, in der man bleiben dürfe; bevor die Frist abgelaufen sei, müsse man weg sein. Sie haben mir den Container in mein Zimmer gestellt, und ich ließ, was ich mitnehmen wollte, darin verschwinden. Es hat nicht viel hineingepaßt, und ich habe jedes Stück nach seinem Nutzen und seiner Geschichte abgewogen und vor allem die Dinge ausgewählt, von de-

49

nen ich mich nicht trennen wollte, die Fotos, Bilder, Bücher, Briefe, ein paar Manuskripte von Theaterstücken, die Staffelei, Haushaltssachen, ein bißchen Werkzeug und Kleider für alle Jahreszeiten.

Dann mußte ich mich von den Freunden verabschieden und war im Fortgehen schon mit ihnen versöhnt, und auch mit den Kollegen vom Berliner Theater, und es war wie ein Abschneiden und Abreißen, das weh tat, wenn ich sagte, diese Geschichte soll jetzt zu Ende sein, die Fortsetzung kenne ich nicht. In den letzten Tagen habe ich viel geweint, gleich morgens beim Aufstehen, weil ich mich auch schon abends weinend ins Bett gelegt hatte. Aber eines Morgens bin ich aus der Wohnung gegangen, habe sie abgeschlossen und den Schlüssel nicht wie sonst in die Tasche gesteckt, sondern zur Kommunalen Wohnungsverwaltung gebracht und dort abgegeben. Da hatte ich keine Wohnung mehr zum Zurückkommen, sie war hinter mir verriegelt, ein für allemal, und ich war draußen. Um den Moment des Auszugs festzuhalten, habe ich auf die Uhr gesehen, es war neun Uhr morgens, wie es jeden Tag neun Uhr morgens war, meine Nachbarin ist einkaufen gegangen, wie sie jeden Tag einkaufen ging, und sie sagte mir noch, sie habe gehört, daß es in der Kaufhalle endlich die ersten Tomaten gäbe, sechs Mark fünfzig das Kilo, unverschämt.

In den ersten Wochen in Paris habe ich oft Angst gehabt unterzugehen. Eine Menge Leute gaben mir gute Ratschläge, Freunde von Freunden, deren Adressen man mir ins Notizbuch geschrieben hatte, oder Freunde von früher, die schon lange vor mir weggegangen und dann hier gelandet sind. Aber meistens waren sie schon sehr an die neue Umgebung angepaßt und so mittendrin in dem neuen Leben, daß ich Mühe hatte, sie wiederzuerkennen. Sie sagten, daß sie mir helfen wollten, ich sollte wieder anrufen und wiederkommen, ein anderes Mal, später, und gaben mir Adressen und nannten neue Namen, und wenn wir alles besprochen hatten, blieben wir oft noch sitzen oder gingen woandershin, tranken etwas und erzählten uns von den Abenteuern, die wir seit unserem Auszug erlebt hatten, und fragten einander ohne Ende, wie in einer Litanei, kennst du den und kennst du den und kennst du den?

Die Adressen und Namen, die sie mir gaben, eine ganze Liste, die ständig länger wurde, weil sie immer mehr Adressen und Namen von Theatern, Ver-

lagen, Buchhandlungen, kleinen Zeitschriften und
Schauspieleragenturen hinzufügten, klapperte ich
alle ab, um nach einer Arbeit zu fragen. Eigentlich
wollte ich solche Arbeit aber gar nicht mehr, weil ich
wußte, daß ich wieder nur eine Gehilfin bleiben
würde, wie ich es schon viel zu lange am Berliner
Theater gewesen war, und das sollte doch nicht mein
ganzes Leben dauern.

Deshalb habe ich es eines Tages nicht mehr länger
versucht bei den Verlagen, Theatern, Buchhandlungen, kleinen Zeitschriften und Schauspieleragenturen, sondern habe einen ganz anderen Weg einge-
schlagen. Ich ging zur École des Beaux-Arts, bewarb
mich um ein Stipendium und trug mich gleich für
die Fächer Malerei, Naturstudium und Aktzeichnen
ein. Statt die Welle von neuem Leben einfach nur
über mich hinwegrollen und mich von ihr erschöp-
fen oder gar zu Boden werfen zu lassen, wollte ich
ihre Bewegung nutzen und selbst meinen Platz
wechseln.

Meine Staffelei hatte ich aus Berlin mitgebracht.
Es ist nur eine leichte Feldstaffelei, eigentlich dazu
gedacht, sie mit sich herumzutragen und in der
freien Natur aufzustellen, aber bei mir hatte sie immer im Zimmer gestanden und war oft umgefallen,
wenn ich, meistens nachts, daran malte – Selbstpor-
träts, wie um mich zu vergewissern, daß ich noch da
wäre, Porträts von Alfried, um ihm näher zu sein,
weil er sich immer verbarg, den Blick aus meinem
Fenster auf Straßenbahnhof, Zentralviehhof und

den kleinen gräulichen Kirchturm am Horizont und Porträts von den Dichtern der Bücher, die ich liebte, als eine Hommage und um ihnen zu antworten. Das Malen war eine Art Festhalten der Dinge, deren Nähe schwankend und ohne Sicherheit war, so wie die Staffelei selber, an der ich die Bilder malte. Sie stammte von meiner Freundin Blanca und war ein Erbstück ihres Vaters, eines spanischen Malers im Exil. Als Franco endlich starb, ging er Hals über Kopf nach Spanien zurück und ließ sogar die Staffelei stehen, die mir Blanca vermachte, bevor sie selbst nach England zog. Das Exil war zu Ende, aber sie hatte Spanien, außer in den Legenden, die ihre Eltern erzählten, nie kennengelernt, und sie fürchtete, daß man sie dort fälschlicherweise eine Deutsche nennen würde, wie man sie in Deutschland schon jahrelang fälschlicherweise eine Spanierin genannt hatte, und da sie nun endlich wählen konnte, wählte sie lieber ein anderes, ein drittes, ein neutrales Land zum Leben.

Jetzt nehme ich die Staffelei manchmal und klappe sie ineinander, bis sie einem kleinen Koffer ähnelt, Farben und Pinsel, in ein Tuch eingewickelt, schnüre ich oben darauf und gehe hinaus, um eine Ansicht der Stadt zu malen. Meistens bringe ich es allerdings nicht fertig, weil ich keinen Ausschnitt, keine Begrenzung finden kann. Dann kehre ich in mein Souterrain zurück und male die Gegenstände, die auf dem Tisch liegen, die Gestade des letzten Frühstücks zum Beispiel oder Bilder nach Fotos, die ich aus den Kartons ziehe, oder den Blick aus dem Fenster, das mir, weil es ja nur halb über die Straße reicht, einen deutlichen Ausschnitt der Stadt zeigt, so daß ich nicht durch ihre Unbegrenztheit aus der Fassung gerate.

Der erste Mensch, den ich hier oft und regelmäßig sah, war Marc, der sich in Paris Jean-Marc nannte. Er war Amerikaner aus New York, aber seine Eltern waren Juden aus Riga. Sie riefen ihn jede Woche an und er wagte nicht, ihnen zu sagen, daß es ihm zuviel war. Sein Architekturstudium hatte er schon fast beendet, aber er kam noch zum Naturstudium an die École des Beaux-Arts, da saßen wir nebeneinander und fuhren mit der Metro zusammen nach Hause oder liefen zu Fuß, obwohl es ein langer Weg war, und suchten Plätze und Aussichten, die wir uns zum Zeichnen vornehmen wollten. Jean-Marc kannte die Stadt viel besser und war aufmerksamer, vielleicht weil er Architektur studierte und auf die Häuser wie auf Menschen sah.

Er wohnte nicht weit von mir in einer Mansarde; ich stieg hoch, um ihn zu besuchen, oder er kam zu mir in das Souterrain hinunter. Sonntags arbeitete er in der Wäscherei nahe von der Place d'Italie, und ich leistete ihm ab und zu dabei Gesellschaft, holte etwas zu trinken oder Obst aus der Epicerie an der Ecke, die immer geöffnet ist, auch sonntags und spät in der Nacht. In der kurzen Zeit, seit ich hier bin, hat sie schon dreimal den Besitzer gewechselt. Erst waren es Türken, dann Araber und nun sind es ganz Schwarze, und immer steht die ganze Familie in dem Laden mit herum.

Viel hatte Jean-Marc in der Wäscherei nicht zu tun, und wir konnten lesen und reden; manchmal brachte ich auch Skizzenblöcke und Stifte oder Federn und Tusche mit und wir zeichneten uns gegenseitig. Wir sprachen Französisch miteinander, das war ein Kompromiß, damit keiner den Vorteil hätte, in seiner Muttersprache zu reden. Meistens sprachen wir von unserer Herkunft, von unseren Eltern, woher sie kamen und wie sie vor den Nazis geflüchtet waren. Ihre Emigrationsrouten und Erlebnisse in den fremden Ländern waren wie Mythen unserer Kindheit und unseres Lebens überhaupt, wie die Irrfahrten des Odysseus; Legenden, tausendmal erzählt. Jetzt wiederholten wir sie uns gegenseitig, sangen sie fast im Chor, wie verschiedene Strophen ein und desselben Liedes.

Jean-Marc sprach von New York, und ich erzählte von Bulgarien, Weimar und meinem Leben in Berlin. Jean-Marc korrigierte mich, ich müsse Ost-Berlin sagen, aber ich erklärte ihm, daß es für uns nur ein Berlin gab. Es gab keine zwei Seiten, es gab nur die eine Stadt, in der wir wohnten, und dann war da noch West-Berlin, aber das war nicht der andere Teil, der zu unserem Teil dazugehörte, es war ein Jenseits. Das konnte er nicht verstehen. Und noch etwas anderes konnte er nicht verstehen, was er mir immer wieder vorwarf – wie Juden es über sich bringen könnten, in Deutschland zu leben, nach allem, was ihnen dort geschehen war. Er würde in dieses Land niemals einen Fuß setzen. Und als ich einmal davon sprach, wie gerne ich ihm Berlin und Weimar, das Belvedere und den Ginkgo Biloba zeigen würde, sagte er nein, das würde ihn überhaupt nicht interessieren. Schon in seiner Schulzeit hatte er alles getan, um nicht Deutsch zu lernen, und statt dessen Griechisch und Latein gewählt, weil es sonst keine andere Möglichkeit gab. Ich sagte, aber es sei meine Muttersprache, und das sei ja so etwas wie ein Bann, wovon er da spreche. Ja, sagte er, ein Bann, das ist es, was ich meine, ein Bann, wie er über Spanien verhängt wurde. Sie haben die Juden vertrieben, die nie wiederkamen, und so ist das Goldene Zeitalter in Spanien erloschen. Wir stritten darüber, ob das richtig sei oder nicht. Wir stritten nicht, wie in Berlin, über den Ort, an dem man leben wollte oder könnte, sondern darüber, ob man an dem einen oder anderen leben durfte oder nicht. Es fiel mir ja selbst schwer zu erklären, welches die Gründe waren, die meine Eltern nach Berlin geführt hatten, und so wie schon mit Alfried stritt ich nun mit Jean-Marc, und wir machten uns Vorwürfe über Dinge, die ganz außerhalb von uns lagen. Sosehr, wie sich Alfried damals von mir zurückgezogen hatte, sosehr versuchte jetzt Jean-Marc, mich ganz auf seine Seite zu ziehen, und es war verführerisch, mich von ihm einfach in seine Welt hinüberziehen zu lassen. Er wollte mich überreden, mit ihm nach New York zu kommen, er wisse ja, daß ich das wolle, und obwohl es stimmte, konnte ich nicht soweit gehen. Er sagte, wenn ich einwandern wolle, würde er mich heiraten und dann sei alles ganz einfach und ich käme ganz schnell von Ellis Island herunter. Aber ich sagte, nein, nein, wenn ich einmal auf Ellis Island bin, werde ich nicht wieder von dort herunterkommen. Ellis Island ist meine Heimat. Ach, sagte Jean-Marc, Ellis Island gibt es doch schon lange nicht mehr.

In meiner braunen Handtasche, deren Reißverschluß klemmt und die ganz ausgebeult ist, weil ich Bücher und Zeichenblöcke hineinstopfe, trage ich immer noch den Brief meines Vaters mit mir herum, den er mir in Frankfurt hinterlassen hat, der ersten Station nach meinem Auszug. Ich habe ihn nicht zu den anderen Briefen unten in den Karton gelegt, sondern gleich nach dem Lesen zerknüllt, später wieder geglättet, zusammengefaltet und mit dem Kuvert in die Handtasche gesteckt, da liegt er zwischen den neuen Ausweisen und Karten und Metrofahrscheinen, Schminkzeug, Parfum und Schlüsseln für das Souterrain – abgesondert, exiliert.

Nachdem ich in Berlin den Container vollgepackt und den Schlüssel abgegeben hatte, mußte ich ja auch eine Fahrkarte kaufen und einen Ort nennen, wohin ich nun gehen würde, und auch auf den Ämtern, bei denen ich mein Leben in Berlin abmeldete, wollten sie einen Ortsnamen, ein Ziel hören; ob ich X oder Y sagte, war ihnen ganz gleichgültig, nur sagen mußte ich es eben, und weil ich es nicht wagte,

Paris oder Amerika zu sagen, und weil mein Vater gerade dort war, zum erstenmal wieder in seiner Heimatstadt, und weil außerdem mein Theaterstück dort aufgeführt wurde und weil es wegen der Vorfahren an der hessischen Bergstraße, von denen mein Vater immer stolz erzählt hatte, doch vielleicht gar kein Hin-, sondern eine Art Zurückkommen wäre, sagte ich: Frankfurt. Einmal Frankfurt am Main. Hin.

Ich hatte gehofft, daß mein Vater da stehen und mich abholen würde, als der Zug in den Frankfurter Hauptbahnhof einfuhr, denn ich hatte ihm ein Telegramm geschickt: Ankomme Donnerstag 18 Uhr 46 Frankfurt Hauptbahnhof. Aber ich sah ihn nicht, als ich aus dem Zug stieg, und fand ihn auch nicht, als ich auf dem Bahnsteig hin und her rannte und wie ein Idiot nach ihm rief, weil ich ihn da oder dort schon zwischen den Leuten zu sehen glaubte. Er war nicht gekommen, er hatte nur den Brief im Theater hinterlassen.

Da ich sonst niemanden in der Stadt kannte, fuhr ich zu dem Regisseur, der mein Stück aufführte und der mich ja eingeladen hatte, es anzusehen. Ich erzählte ihm, wie ich das Stück den Dramaturgen, die schon jahrelang am Berliner Theater waren, gezeigt hatte und wie sie nur mit der Hand abgewinkt hatten, nein, das ginge nicht, nein. Und der Regisseur sagte, na ja, du wirst ja sehen. Dann erzählte ich ihm, daß ich nicht ans Berliner Theater und nach Berlin zurückkehren, sondern nach Paris oder noch weiter ziehen wollte, und er antwortete, ach, wir träumen doch alle davon, auszuziehen und wegzukommen, aber das sei doch eine Illusion, man könnte sehr einsam werden und noch alles verlieren, und deshalb bleibe man meistens, wo man eben ist. Und er fragte mich, ob ich denn keine Angst vor der Fremde habe, und ich sagte, das ist es ja gerade, was ich suche, ein Abenteuer und ein Versteck.

Er nahm mich mit ins Theater, das am Rande der Stadt liegt, wir fuhren mit der Straßenbahn hin. Dann gingen wir über einen Hinterhof, stiegen eine Treppe hoch und standen in einem breiten Flur mit ein paar Tischen und Stühlen, wo die Schauspieler saßen und Kaffee oder ein Bier tranken. Es war noch viel Zeit bis zum Beginn der Vorstellung. Der Regisseur stellte mich den Schauspielern vor, sagte mir ihre Namen und welche Rolle sie in dem Stück spielten, und wir begrüßten uns. Nur die Hauptdarstellerin beantwortete meinen Gruß nicht, als wir zu ihrem Tisch kamen, sie gab mir nicht die Hand, sondern wendete sich weg, nahezu feindlich, und fing sogar an zu weinen: Diese Vorstellungen seien schrecklich, weil es ja fast kein Publikum gäbe, wie ich gleich sehen würde, es sei beängstigend und so sinnlos, in die Leere hineinzuspielen, wenn niemand ihr zuschaue, eine Qual für eine Schauspielerin. In der Zeitung könne man übrigens auch lesen, wie mißlungen alles sei. Sie schäme sich, und es sei ihr schon morgens und den ganzen Tag übel, wenn sie abends in dieses verfluchte Theater kommen müsse, das keiner kennt und für das sich überhaupt niemand interessiert. Ein Regisseur, der nichts kann, und ein Stück, das nichts taugt – es habe sich wahrhaftig nicht gelohnt, die wochenlangen Proben, die ganze Arbeit, das sei alles umsonst gewesen, für nichts und wieder nichts. So schrecklich. Schrecklich.

Sie hörte nicht auf zu weinen, weinte immer mehr. Ich konnte nicht einmal ihr Gesicht sehen, weil sie sich weinend immer weiter über die Stuhllehne nach hinten wandte, den Kopf in den Armen, ich sah nur ihre Haare, ihren Hals und den Kragen ihrer Bluse. Es war mir auch nicht gerade zum Lachen zumute. Ich sagte zu ihren Haaren, ihrem Hals und dem Kragen ihrer Bluse, ist ja gut! ist ja gut! und ging wieder raus aus dem Flur mit den Tischen und paar Stühlen, wo die anderen weiter ihren Kaffee oder ein Bier tranken, wartete den Beginn der Vorstellung nicht mehr ab. Ich wollte bloß weg und verschwinden, suchte mir auf dem Stadtplan den Weg nach Hause und fuhr mit der Straßenbahn zurück in die Wohnung, in der mir der junge Regisseur ein Zimmer freigemacht hatte. Da setzte ich mich an seinen Schreibtisch, blätterte in seinen Büchern und wartete, daß er nach der Vorstellung nach Hause käme und mir sagen würde, daß alles gar nicht so schlimm gewesen sei.

Als er kam, war ich an seinem Tisch eingeschlafen. Er weckte mich, und wir gingen in die Küche und aßen Pfirsichkompott, weil er sonst nichts im

Kühlschrank fand, und er sagte, daß er sich sein Debüt als Regisseur, denn bisher war er nur Schauspieler gewesen, auch anders gewünscht habe, aber das
müsse man eben verkraften. Die Hauptdarstellerin
sei jedoch schon vom Erfolg verwöhnt, deshalb sei
es für sie so schwer. Zögernd fragte er mich, ob ich
denn wisse, daß mein Vater sich mit ebendieser
Hauptdarstellerin, die heute abend so geheult hatte,
angefreundet habe, wenn man so sagen könne. Und
dann gab er mir den Brief, den mein Vater im Theater für mich hinterlassen hatte.

Meine liebe Tochter!
Verzeih mir, daß ich nicht zum Bahnhof gekommen bin, aber ich wollte kein »letztes Wiedersehen«,
und es geht mir zu schlecht. Wenn Du in Frankfurt
ankommst, sitze ich schon im Zug nach Weimar.
Wahrscheinlich werden wir aneinander vorbeifah-
ren, wir könnten uns im Vorüberfahren gegenseitig
einen Vogel zeigen.
   Ich habe wieder Schmerzen bekommen, überall.
Wenn ich zurück bin, muß ich mich wohl doch ins
Krankenhaus legen, wo sie mich bloß noch mehr
foltern werden. Langsam verliere ich den Mut, daß
ich es noch einmal schaffen könnte. Was darf ich mit
achtzig Jahren noch erwarten? Ich bin unruhig, unglücklich, wenn Du willst; alle die Glaubensfragen,
mit denen ich mich mein Leben lang rumgeschlagen
habe, beschränken sich nun auf die eine einfache
Gewißheit, die immer näher rückt.

Nur einmal war ich in meinem Leben ähnlich hilflos und gewiß, als während des Krieges in London zwei Herren mit Melone in mein Zimmer traten und mich aufforderten, meine Sachen zu packen und mitzukommen. (Glaub mir, Du bist immer und überall ein alien enemy!) Ich durfte gerade noch Deine Mutter, die erst seit wenigen Wochen meine Liebste war, in dem Betrieb, wo sie arbeitete, anrufen. Aber man konnte sie nicht ans Telefon holen, und so mußte ich ihr einfach ausrichten lassen, daß ich auf unbestimmte Zeit fort müsse und nur Gott allein wisse, wann und ob wir uns wiedersehen. Zwei Jahre später bin ich dann aus Kanada zurückgekommen.

Was mich getrieben hat, nach fünfzig Jahren zum erstenmal wieder nach Frankfurt zu fahren, weiß ich wirklich nicht. Ich wollte alles noch einmal wiedersehen und mich erinnern. Aber es ist gefährlich, an den entlegenen Ort der Kindheit und Jugend zurückzukehren, und wie um das Risiko noch auf die Spitze zu treiben, hatte ich ja das Treffen mit Ruth dort verabredet, weil wir damals gemeinsam aus dieser Stadt ausgewandert waren. Du weißt, daß ich sie seit Jahrzehnten nicht mehr gesehen habe, und nun stand ich am Flugplatz und erwartete sie. Da kam sie, fast eine echte Engländerin, und ich dachte einen Moment, was wäre gewesen, wenn ich auch dageblieben wäre. Eine alte Frau mit weißen Haaren, die sich anstrengen mußte, den Koffer runter vom Rollband und auf den Gepäckwagen raufzuzerren, sie

schwitzte und ihre Kleider waren verrutscht. Denk
nicht, daß es das war, was mich störte, ich weiß, daß
ich auch ein alter Mann bin, dem die Kräfte ausge-
hen. Aber Ruth hatte eine Zeitung unter dem Arm,
die ich als reaktionär einstufe, und das sagte ich
gleich, machte eine dumme Bemerkung darüber, so
daß Ruth beleidigt war und wir noch auf dem Flugplatz anfingen zu streiten und uns unsere unter-
schiedlichen politischen Meinungen vorwarfen, so
wie vor fünfzig Jahren, als wir noch verheiratet
waren und täglich so stritten. Da beschloß ich, Ruth
in ihr Hotel zu fahren und ihr zu sagen, daß es wohl
besser sei, wenn jeder weiter allein seinen Weg
ginge. Wozu sich treffen, wenn wir uns immer noch
nicht verstehen können, das Leben ist doch für jeden von uns schon schwer genug, und überhaupt, so
ein Wiedersehen mit einem Freund von früher,
wozu?

Am Abend bin ich ins Theater gegangen, um Dein
Stück zu sehen. Ich war stolz auf Dich und wollte
die Leute kennenlernen, die es auf die Bühne gebracht haben. Und dann habe ich mich in die Correll, die Hauptdarstellerin in Deinem Stück, sogar
verliebt. Vielleicht nur deshalb, weil sie eine Frank-
furterin, sogar eine Wiesbadenerin ist. In den Tagen,
die mir hier geblieben sind, bin ich mit ihr zusammen durch die beiden Städte gezogen und habe sie
von einem Ort der Erinnerung zum anderen ge-
schleift, was ich eigentlich mit Ruth vorhatte. Ich
habe also der Hauptdarstellerin mein Geburtshaus

und das Sanatorium meines Vaters gezeigt und die Bankhäuser der Sander gesucht, die nicht mehr existieren, sie heißen jetzt Deutsche Bank usw. Die Correll hat meine aufbrechenden Emotionen geteilt, denn vieles habe ich doch wiedergefunden. Es sickerte alles tief in mein Gemüt, und auf einmal hatte ich das Gefühl, daß ich, seitdem ich von dort weggegangen bin, mein ganzes Leben nur immer in rauhem Wetter und kaltem Wind gestanden habe.

Ich hoffe, Du wirst in Frankfurt den Palmengarten sehen, wo sich Deine Großeltern beim Ball der Naturwissenschaftler kennenlernten, und das Senckenbergianum, in dem meine Großmutter mir einst, als ich ein kleiner Junge war, die Saurier und die Embryonensammlung zeigte, das glaubte sie dem Sohn eines Naturwissenschaftlers wohl zumuten zu können.

Hoffentlich komme ich aus dem Krankenhaus wieder heraus und kann mich noch einmal aufrappeln, dann sehen wir uns vielleicht später, später im Jahr, wenn Du schon in Paris sein wirst, dort oder woanders. Ich wünsche Dir von ganzer Seele, daß Du es besser treffen wirst. Ich jedenfalls war sowieso und habe mich immer heimatlos gefühlt.

Dein Vater

Im Café Laumer habe ich die Hauptdarstellerin noch einmal wiedergetroffen, aber sie hatte keine Lust, mit mir dort zu sitzen, wollte nichts erzählen und hat stumm ihren Eiskaffee getrunken. Nur nach

Alfried hat sie mich plötzlich gefragt, ob ich ihn noch aus Berlin kenne, und ich sagte, ja, natürlich kenne ich ihn aus Berlin, und sie erzählte von einem großen Erfolg, den sie hier in einer Inszenierung von Alfried erlebt hatte – eine wunderbare Arbeit. Sie schrieb mir ihre Telefonnummer auf eine Serviette, 58921, sie müsse jetzt los und war schon aufgestanden und lief weg. Und wieder sah ich sie nur von hinten die Treppe des Café Laumer hinuntergehen und konnte mir plötzlich gar nichts anderes vorstellen, als daß sie auch Alfrieds Geliebte gewesen war, in der Zeit, als ich ihm meine Briefe für den Müllschlucker schrieb.

Hatte mein Vater Rheinstraße oder Steinstraße oder Weinstraße gesagt, als er von seinem Geburtshaus sprach? Den Namen des Sanatoriums hatte ich auch vergessen. So lief ich ganz orientierungslos in den Villenvierteln von Wiesbaden herum, immerhin sah und bestaunte ich aber die Herkunft meines Vaters aus so großbürgerlichem Reichtum, wenn er auch längst verronnen war – so viel Pathos und Prunk, der auch nicht ganz echt und vielleicht nie echt gewesen war. Aber die Stadt blieb mir verschlossen, wie eben ein unbekannter Ort, ich lief den Biegungen und Windungen der Straßen hinterher wie in irgendeiner anderen fremden Stadt, gaffte auf die Häuser und Plätze ohne Verständnis und hoffte auf ein Zeichen, irgendeines, wenn ich auch nicht wußte, woher es kommen sollte; irgend etwas, das zu mir spräche und mir von meinem Vater als kleinem Jungen und meinen Großeltern und den Bankiers der Großherzöge von Hessen-Darmstadt erzählen würde. Es blieb aber alles stumm. So sog ich nur das reiche, weiche, träge und irgendwie künstliche Klima dieser Stadt ein, und das einzige, das ich immer wieder zu erkennen glaubte, war ein Paar, das vor mir herlief, ein alter Mann und eine junge Frau, untergehakt liefen sie, oder Hand in Hand, blieben manchmal stehen und redeten, und manchmal küßten sie sich, mein Vater und die Hauptdarstellerin in meinem Stück.

Sogar in einen Touristenbus bin ich eingestiegen. »Die hessische Bergstraße – sehen – erleben – erobern«. Friedliche Weinorte, wie Perlen an der Schnur aufgereiht, sagte der Reiseführer. Der Ausflugsbus fuhr von Darmstadt nach Heidelberg herunter, zuerst durch Zwingenberg, wo meine Großmutter Leonie geboren wurde, und dann durch die anderen Orte an der Bergstraße, an denen auch dieser oder jener Vorfahre gelebt hatte. Etwas Genaues wußte ich nicht über sie, nur daß deren Vorfahren einst mit den Römern das Rheintal heraufgezogen waren, so hatte es mein Vater erzählt und war stolz darauf gewesen.

Der Reiseführer erwähnte in seiner historischen Abschweifung die Römer und Kelten, Alemannen und Franken, aber von meinen Vorfahren sprach er nicht. Dafür zeigte er den Ort, wo Siegfried erschlagen wurde, und dann wanderte die ganze Besatzung des Busses von Heppenheim zur Starkenburg hoch, da wurde ein Mittagessen serviert, und wenn man sich noch die Mühe machte, auf den Aussichtsturm hochzuklettern, konnte man weit bis in das Rheintal hineinsehen und auf der anderen Seite über den Odenwald, der Reiseführer erinnerte wieder an die Nibelungenereignisse, und ich dachte daran, daß dort irgendwo die Odenwaldschule sein müsse, in der mein Vater vom legendären Paulus Geheeb erzogen wurde, der gesagt haben soll: Die Nazis? Bei uns in Hessen?

Später habe ich auf kleinen Friedhöfen vergeblich die Gräber meiner Großeltern und Vorfahren von der Bergstraße gesucht, ich konnte sie nicht finden, obwohl auf vielen Grabsteinen ihre Namen standen, oder gerade deshalb, denn ich wußte nicht, welche von den vielen Weils und Sanders es waren, ich kannte keinen Geburtstag oder Todestag, kaum einen Vornamen, und wußte nichts von einer so verzweigten Familie. Ich habe meinen Vater immer nur als einen einzelnen gesehen, der zu niemandem gehörte. Seine Familie waren nur seine wechselnden Frauen; die Hofbankiers, von denen er manchmal sprach, stammten aus einem anderen Jahrhundert. Etwas Näheres, Engeres, schien es nicht gegeben zu haben, ich wußte nicht einmal, wann und wie sich diese Verzweigungen aufgelöst hatten und warum mein Vater darüber nicht sprach.

Schließlich habe ich mich gefragt, warum ich denn überhaupt dahin gekommen war, nach Frankfurt, an die Bergstraße und nach Wiesbaden. Wollte ich mich etwa, bevor ich in die so ersehnte Fremde fuhr, noch einer Herkunft oder Heimat versichern? Aber ich habe nichts entdeckt, außer der Affäre meines Vaters mit der Hauptdarstellerin. Meine Herkunft von dort war ganz unsichtbar geworden. Ich habe nichts finden können, keine Erinnerung, kein Zeichen, kein Andenken und keine Spur.

Hier klemmt mir der Briefträger die Post einfach in den Türspalt, weil es für die Souterrainwohnungen keine Briefkästen gibt. Die Briefe hängen wie Fähnchen an der Wohnungstür, ich sehe sie schon, bevor ich die Treppe hinuntersteige. Aber die Tür ist selten fähnchengeschmückt, die Freunde aus Berlin haben mich wohl aufgegeben, und die Kollegen vom Berliner Theater reden noch in der Kantine.

Eines Tages aber steckte ein Brief von Alfried an der Tür, ich erkannte von weitem seine Schrift – wie heimatlich sie mir war. Als ich den Brief in die Hand nahm, sah ich, daß sogar ein Absender darauf war, ein kleines weißes Schildchen mit seinem Namen, Adresse und Telefonnummer; in München wohnte er jetzt also. Ich wunderte mich, woher er meine Adresse wußte, aber vielleicht fragen nicht nur hier die alten Freunde einander, kennst du den und kennst du den? Sonst hat man ja nicht mehr sehr viel miteinander zu reden, denn das, was uns früher einmal zusammenhielt, bringt uns jetzt gerade auseinander. Als ob sich erst jetzt, wie im hellen Tageslicht, herausstellte, daß wir eigentlich gar nicht zusammenpassen, und früher, als wir immer in einer Art Dämmerzustand lebten, hätten wir es einfach nicht gesehen.

Alfried hatte gehört, daß ich nun auch vom Berliner Theater weggegangen war, und fragte mich in dem Brief, warum denn nach Paris, so weit weg, was ich da anfangen und ob ich nicht lieber nach München kommen wolle, er könne mir doch helfen, eine Stelle am Theater zu finden, und er würde sich freuen, mich wiederzusehen.

Ich war glücklich, als ich den Brief las, und habe mich nicht mehr so allein gefühlt. Ich ließ ihn auf dem Tisch liegen, die zwei Blätter offen neben dem Kuvert, so daß der Tisch fast ganz von Alfrieds Schrift bedeckt war; er füllte für ein paar Stunden den ganzen Raum. Später, am Abend, habe ich den Brief noch einmal gelesen und fühlte mich sehr allein und hatte Heimweh. Ich setzte mich hin und schrieb ihm eine Antwort, einen Brief, den ich diesmal auch abschicken wollte.

Lieber Alfried!
Ich habe einen tiefen Schnitt in mein Leben gemacht und laufe noch wie unter Betäubung herum und spüre den Schmerz nicht. Wie soll ich das sagen, ich wollte mich abschneiden, hatte das alte Leben satt und hatte Sehnsucht nach einer großen Änderung, einem Auszug, einer Verwandlung. Vielleicht ist es Dir ja damals auch so gegangen. Jetzt fange ich

schon an zu zweifeln, denn ich habe nur eine winzige Wohnung halb unter der Erde gefunden, die noch kleiner ist als die in Berlin. Statt auf den Straßenbahnhof und Zentralviehhof sehe ich nun auf die Füße der Leute, die vorbeigehen.

Meine Straße ist eine von denen, die von der Place d'Italie abgehen oder hinführen, wie du willst; der Platz sitzt da jedenfalls in der Mitte und hat sich ausgebreitet und hält ein Bündel Straßen in der Hand, mehrere große Avenuen und einige gewöhnliche Straßen, eine führt ins Chinesenviertel. »Oben« ist es schön, wenigstens ist es anders, die Leute sprechen eine fremde Sprache, Französisch oder Chinesisch, so fühle ich mich in Ruhe gelassen.

Ich würde Dir gerne alles erzählen, ja, es wäre schön, wenn wir uns wiedersehen. Aber nach München möchte ich nicht kommen, nun bin ich einmal hier, und auch ans Theater möchte ich nicht, ich will endlich keine Gehilfin mehr sein. Jetzt, wo jeder von uns an einem ganz anderen Ort ist, könnten wir, wenn wir uns wiedersehen, vergleichen, was wir gefunden haben. Wir sind ja nicht in ein Exil gegangen, um zurückzukehren, sondern sind doch ausgewandert, um etwas ganz Neues anzufangen, ist es nicht so?

Statt ihn nur einfach in den Kasten zu werfen, brachte ich den Brief zur Post, denn plötzlich wollte ich, daß Alfried ihn so schnell wie möglich erhält, als ob es nun um Stunden ginge, die abgerissene Verbindung wiederherzustellen, und das erste Mal seit Jahren dachte ich wieder an Alfried wie an jemanden, der irgendwo wohnt, den man anrufen oder besuchen könnte, ich stellte mir vor, wie er den Brief aus dem Kasten holen würde, wie er ihn las, in was für einem Haus, in was für einer Straße das wäre und wie die Stadt aussähe.

Auf dem Weg zum Französischkurs an der Volkshochschule habe ich dann das Plakat entdeckt, ein kleines Plakat nur, aber es fiel mir gleich in die Augen, obwohl nur Schrift drauf war. Bevor ich es überhaupt gelesen hatte, drängten sich die bekannten Namen vor die fremden, nie gehörten auf den anderen Plakaten, Alfrieds Name, der Name des Autors, der Name des Stückes, das Alfried schon vor Jahren am Berliner Theater inszeniert hatte. Ich sah nach, ob das Plakat nicht etwa noch vom vorigen Jahr da hing, aber nein, es galt gerade für jetzt, für die nächste Woche: ein Gastspiel des Münchner Theaters in Paris.

Alfried hatte davon nichts in seinem Brief geschrieben und keinen Besuch angekündigt, als ob er sich immer noch verbergen wollte. So ging ich uneingeladen in das Theater, das auf dem Plakat genannt war, und setzte mich während der Generalprobe einfach in den dunklen Zuschauerraum, in die letzte Reihe, wo Alfried mich nicht sehen konnte. Ich hörte die vertraute Sprache auf der Bühne, den bekannten Text, den ich noch halb auswendig konnte, hörte Alfried mit den Schauspielern reden, manchmal schreien, und plötzlich schien mir alles so, als ob wir noch am Berliner Theater wären. Aber ich war ja durch ganz fremde Straßen in dieses Theater gekommen, das ich nicht kannte, mit der Metro von der Place d'Italie und nicht mit dem 57er Bus vor meinem Haus, es war nicht das Berliner Theater, und mein Kopf war voll von den Wörtern der fremden Sprache, die nun nicht mehr abfallen, alles vermischt sich jetzt in meinem Kopf miteinander, und ich wußte nicht mehr, an welchem Ort und in welcher Zeit meines Lebens ich war, und hatte Kopfschmerzen.

Im dunklen Zuschauerraum machte ich ein paar Skizzen von Alfried, wie ich ihn da undeutlich sah; so, wie ich auch der Stadt noch nicht ins Gesicht sehen konnte, zog ich es vor, Alfried von hinten, im Dunkeln, in einem Viertelprofil zu zeichnen, bevor ich ihn wiedersehen würde.

Als die Probe zu Ende war und das Licht anging, rief ich ihn über die Sesselreihen und winkte ihm, aber er tat so, als ob es ihn überhaupt nicht erstaune, mich hier zu sehen. Jeder lief aus seiner Reihe heraus, und wir trafen uns im Gang neben den Sitzen. Wir umarmten uns, und ich zeigte ihm die kleine Zeichnung, die ich eben von ihm gemacht hatte. Er wollte, daß ich sie ihm schenke, aber ich gab sie ihm nicht.

Ich fragte ihn, warum er in seinem Brief nichts von dem Gastspiel erwähnt und keine Verabredung vorgeschlagen hatte, da lachte er und sagte, daß wir uns ja doch immer treffen und wiederfinden würden und daß wir uns nicht verlieren könnten. Eine Verabredung sei ganz überflüssig, der beste Beweis dafür sei, daß wir jetzt hier im Theater zusammenstehen, und so sei es doch viel schöner als alles andere, nein?

Dann gingen wir aus dem Theater und ein Stück durch die Stadt, ich zeigte Alfried meine Wohnung und meine Straße und die École des Beaux-Arts, wo ich studierte, und die Volkshochschule, an der ich Französisch lernte, und erzählte ihm von meinem neuen Leben. Er sollte mich nun im Bilde dieser Verwandlung sehen, im Bilde einer Freiheit, die ich mir hier erringen wollte, hier oder woanders. Aber Alfried sagte, es gäbe kein neues Leben, nur den Traum von einem neuen Leben, den Traum, daß man noch einmal ganz von vorne anfangen könne, als ein anderer mit einem anderen Namen, in einer anderen Gestalt, an einem ganz anderen Ort; daß man nicht noch einmal mit A anfangen müsse, sondern könne beginnen mit B. Aber das sei eine Illusion. Ich sagte ihm, ich hätte schon gewußt, daß er so reden würde, aber ich sei noch eine Anfängerin im Auswandern und könne nicht alle Lektionen des neuen Lebens auf einmal lernen.

Wir schlurften beim Gehen mit den Füßen im Laub, das da in einer dicken Schicht lag, und als wir näher hinsahen, waren es Ginkgoblätter – die lange, gerade Allee, die wir hinuntergingen, war von Ginkgobäumen gesäumt. Alfried sagte, daß er Frankreich eigentlich nicht möge, und ich fühlte mich von dieser Rede angegriffen, als mache er mir Vorwürfe, da ich doch jetzt hier wohne. Deshalb fing ich an, gegen Deutschland zu reden, wie es Jean-Marc oft tat, und wiederholte dessen Sätze, die ich immer abgelehnt hatte. Wir attackierten uns, indem wir über die Länder herzogen, in denen wir lebten.

Als wir am Ende der Allee angelangt waren, fragte ich Alfried, ob er sich noch an den Ginkgo Biloba im Belvedere, von Goethe gepflanzt, erinnere, den uns mein Vater gezeigt hatte, als wir ihn einmal besuchten, und daran, wie mickrig und unansehnlich der Ginkgo dort war, und hier stehen sie nun zu Dutzenden einfach an der Straße herum. Damals, im Park von Belvedere, hatten wir uns jeder ein Blatt vom Ginkgo Biloba in die Tasche gesteckt. Ob er es noch habe? Nein, und ich hatte es auch nicht mehr, ich hatte ja alle meine vertrockneten Pflanzen aus dem Fenster geworfen.

In einem Café setzten wir uns direkt vor das Fenster, das bis auf den Boden reicht, nebeneinander an einen Tisch, wie es die Franzosen tun, mit dem Blick auf die Straße, auf das Gedrängel an der Bushaltestelle und alle die Leute, die so aussehen, als ob sie wirklich hier zu Hause seien, und dann fragten wir uns gegenseitig die alten Namen ab, was der und der macht, ein Kollege oder Freund, ob er noch da oder auch schon weggegangen und was aus ihm geworden sei und von wem man das gehört hatte. Und wieder, wie schon in seinem Brief, fragte mich Al-

fried, ob ich denn nicht nach München kommen
wolle, und ich sagte, daß ich es nicht will.

Ins Theater zurück nahmen wir den Bus, die 42er
Linie, die ganz dicht an der Wäscherei vorbeifährt,
in der Jean-Marc arbeitete, ich konnte ihn durch die
großen Scheiben im Innern der Wäscherei mit zwei
Arabern reden sehen. Wahrscheinlich hatten sie die
Waschmaschinen zu voll gestopft, und er mußte sie
nun überzeugen, mit all dem, was sie da hätten, lieber zwei Maschinen zu benutzen, wenn es nicht etwas anderes war, worüber sie diskutierten. Alfried
redete immer noch von München; ich erzählte ihm
nichts von Jean-Marc.

Im Theater verschwand er schnell hinter der
Bühne, wo ihn schon eine ganze Gruppe von Leuten erwartete, und ich setzte mich in den Zuschauerraum, der jetzt voller Menschen war. Fast jeder, der
da saß, hielt ein Blatt in der Hand, auf dem wie
schon auf dem Plakat in großen Buchstaben die vertrauten Namen standen, allen voran Alfrieds Name.
Ich war traurig. Traurig über unsere ganze Geschichte, über unser Mißverstehen, und bin nach der
Vorstellung schon vor dem Applaus, bevor die Lich-
ter wieder angingen, aus dem dunklen Zuschauerraum nach Hause gegangen, in meinen XIII. Bezirk
zurück, sah meine Straße, wie sie da irgendwie ohn-
mächtig lag, lang hingestreckt und grau im Gesicht. Ich stieg in das Souterrain hinab und holte
die kleine Zeichnung aus der Tasche, die ich während der Probe von Alfried gemacht hatte, und hef-

tete sie mit einer Reißzwecke über meinem Schreibtisch an, neben den großen Plan von Paris, und
dachte, daß es wahrscheinlich immer so zwischen
uns gewesen war: eine Liebe aus nichts, in der nichts
passiert und die sich endlos im Nichts verliert.

In einer der Regennächte, als der Herbst gekommen war, mein erster Herbst in Paris, träumte ich, daß mein Vater im Park von Belvedere spazierenginge und käme nicht mehr zurück. Ich saß mit seinen vier Frauen und wartete auf ihn, aber er kam nicht wieder, kam nie mehr wieder.

Er hatte nur einen Abendspaziergang machen wollen, es gab ja so viele schöne Wege dort, auch unbekannte und unentdeckte noch, aber sie führten, vor allem, wenn man dem Possenbach folgte, manchmal in Sümpfe und Gestrüpp und verloren sich dann. Dort mußte mein Vater sich irgendwo verirrt haben, Tage später kamen Leute aus Mellingen, dem nächsten Dorf, und sagten, daß sie ihn gefunden hätten, im Sumpf, unter dem Gestrüpp, das tief ins Wasser reicht und das ihn versteckt hat. Wir sollten ihn lieber nicht ansehen, sagten die Leute aus Mellingen, es sei zu schrecklich, ein Mensch, der so lange im Sumpf gelegen hat, ein halbverwester Mensch. Aber ich hatte Angst, daß man mich zwingen würde, ihn anzusehen, daß sie sagen würden, sieh hin, sieh doch, sieh genau und sage uns, wer ist das?

In dem Traum glaubte ich, daß die Frauen meines Vaters alles gewußt hätten und mein Vater vielleicht sogar den Tod so gewollt und es ihnen vorher gesagt hatte, bevor er zu seinem Abendspaziergang aufgebrochen war. Nur mich hatten sie von diesem Ende ausgeschlossen. Und ich dachte im Traum, wenn Bilbo, sein Hund, noch gelebt hätte, wäre das nicht geschehen, der würde Hilfe geholt und nicht einfach zugesehen haben, wie sein Herr ertrinkt oder sich ertränkt und im Sumpf treibt unter dem Gestrüpp. Aber Bilbo war schon lange tot.

Am Sonntag in der Wäscherei erzählte ich Jean-Marc von meinem Traum. Ich sagte ihm, ich habe geträumt, daß ich eine Waise geworden bin.

Es war Jean-Marcs letzter Sonntag in der Wäscherei, er war nur noch einmal gekommen, um die Sachen abzuholen, die dort noch von ihm herumlagen. Er hatte sein Studium zu Ende gebracht, und jetzt wollte er nach Hause zurückkehren. Seine Eltern drängten ihn bei jedem Telefongespräch, und da sie schon alt waren und er ihr einziger Sohn, gab er ihnen, nachdem er jahrelang fortgewesen, leicht nach. Noch einmal versuchte ich ihn zu überreden, mit mir nach Weimar zu meinem Vater und nach Berlin zu kommen, damit ich ihm alles zeigen könne, bevor er Europa ganz verlasse, aber er schlug es ab, das ginge nicht mehr, und ich wisse ja auch, daß er es nicht wollte.

Er war schon dabei, die Mansarde auszuräumen, Koffer zu packen, Sachen wegzuschmeißen, und ich half ihm, Pakete zu packen und zu schnüren, die wir dann auf die Post brachten. Der Anblick der ausgeräumten Mansarde war wirklich traurig. Ein paar Stücke daraus hat Jean-Marc mir vererbt, den Korbstuhl und den Tisch, in dessen Schublade noch die amerikanischen Zeitschriften liegen, die er immer las; die Moulinex, mit der er manchmal Gemüse zerkleinerte oder Teig schlug, wenn er ein Essen für uns kochte, und noch das und jenes, was ich gebrauchen konnte. Er half mir, alles in das Souterrain herunterzubringen.

Dann fuhr er schon ab. Gerade hatten wir uns kennengelernt, da verabschiedeten wir uns wieder. Ich brachte ihn zum Flugplatz Charles de Gaulle, wo die Flugzeuge nach Amerika abfliegen, und sagte ihm, wir hätten wenigstens noch zusammen zum Atlantik fahren und am offenen Meer stehen sollen, auf dem letzten Stein am Ende des Kontinents, wo es nicht mehr weitergeht. Wenn ich einmal nach Amerika käme, würde ich gerne mit einem Schiff von dort losfahren, aber wahrscheinlich gebe es gar keine Schiffe mehr, die nach Amerika fahren, das haben sie, wie Ellis Island, wohl schon längst abgeschafft. Dort am Ende des Kontinents, wo die Landschaft so wild sein soll, zwischen dem Land und dem Wasser, das immer steigt und sinkt und schwankt, hätten wir doch vielleicht irgendein Abenteuer erleben können, etwas anderes als im-

mer nur sprechen, reden, erzählen, unsere ewigen
Diskussionen. Tut es dir auch leid um so ein Abenteuer, Jean-Marc, habe ich ihn gefragt. Aber er hat
nicht mehr geantwortet, denn die Passagiere der
Air France nach New York wurden zum Quai 23
gerufen, und hinter den Zoll durfte niemand mehr
mit.

Ein paar Tage später, oder in einer Nacht, hat mich
die Frau meines Vaters angerufen. Ein Telefon habe
ich ja nun wenigstens, wenn es auch selten klingelt,
denn ich kenne noch nicht so viele Leute in Paris,
die mich einmal anrufen würden, und für Fer_nge-
spräche nach Berlin habe ich sowieso kein Geld, und
was sollten wir auch sagen?
    Wie geht's? Was machst du?
    Und du?
    Und was hast du heute gemacht?
    Und heute abend?
    Ins Berliner Theater?
    Was soll ich sagen?
    Alles ist anders, schwerer, wenn du willst, weil
keine Gewohnheit das Gewicht nimmt.
    Das wolltest du so.
    Ja, ich wollte es. Aber versteh doch.
    Deinem Vater geht es sehr schlecht, hat die Frau
meines Vaters am Telefon gesagt, sie haben ihn aus
dem Krankenhaus nach Hause geschickt, zum Sterben. Er kann sich gar nicht mehr rühren, ab und zu
muß ich ihn von einer Seite auf die andere drehen.

Er hat große Schmerzen und weint, wenn er glaubt, daß ich es nicht sehe.

Sie schläft neben seinem Bett auf einer Luftmatratze, damit sie ihn nachts beruhigen kann und falls er etwas braucht. Er redet plötzlich einen eigenartigen Dialekt, vielleicht Frankfurterisch, den sie nicht verstehen kann, weil sie aus Brandenburg kommt, so daß sie manchmal überhaupt nicht weiß, was er will. Länger als ein paar Tage wird er nicht mehr leben, hat sie gesagt.

Später im Jahr, hatte mein Vater in jenem Brief geschrieben, der noch immer in meiner Handtasche liegt; vielleicht sehen wir uns später im Jahr, wenn Du schon in Paris sein wirst. Nun war es doch soweit, es war fast Winter, in den letzten Tagen hatte ich an den Beinen, die an meinem Fenster vorübergingen, schon Stiefel gesehen, der Regen hörte gar nicht mehr auf, und ein paarmal hatte es sogar geschneit. Ich wollte doch meinen Vater noch einmal sehen, wollte ihn hier sehen! Ich würde ihn am Gare de l'Est abholen, so hatte ich es mir vorgestellt, und ihn sicher um die Baustellen herum in den XIII. Bezirk in meine Wohnung führen und irgendwo ein Klappbett ausborgen, damit er bei mir übernachten könnte.

Aber ich konnte nur noch seine Stimme hören. Seine Frau hat ihm den Hörer hingehalten, als ich in Weimar anrief. Zum erstenmal hörte ich seine Stimme wieder, seit ich weggegangen war, und zum

letztenmal also. Er hat mich als erstes nach der
Hauptdarstellerin gefragt, ob ich sie in Frankfurt
gesehen habe und ob ich sie nicht einmal anrufen
wolle, er könne mir ihre Telefonnummer geben. Die
Telefonnummer kenne ich, sagte ich, sie hat sie mir
auf eine Serviette vom Café Laumer geschrieben, da
haben wir uns getroffen. Ich war verletzt, daß er nur
von der Hauptdarstellerin sprach, und um ihm weh
zu tun, fragte ich: Wann besuchst du mich endlich,
wann kommst du her?, so daß er es selbst sagen
mußte, daß er todkrank war. So schwach, daß er sich
nicht mehr rühren und nicht mal einen Kugelschrei-
ber halten könne, um einen Brief zu schreiben, stell
dir mal so viel Schwäche vor. Er habe so gehofft,
noch ein bißchen Zeit zu haben, wenigstens ein –
zwei Jahre, ein – zwei Jahre wären doch vielleicht
nicht zuviel verlangt. Aber nun wisse er ja, daß ihm
keine Zeit mehr bliebe. Wir müssen jetzt Schluß machen, sagte mein Vater am Telefon. Aber wie sollten
wir denn Schluß machen, ich konnte doch nicht am
Telefon weinen oder schreien, und hätte ich ihn
denn, wenn er vor mir gestanden hätte, umarmen
und küssen können? Na ja, sagten wir am Telefon –
und so war er eben, unser Abschied –, jetzt müssen
wir Schluß machen, sagten tschüs also, und dann
legten wir den Hörer auf, jeder auf seiner Seite.

In den nächsten Tagen bin ich in meiner Wohnung geblieben und nicht mehr aus dem Haus gegangen, habe nur dagesessen und gewartet und auf
die Füße gesehen, die an meinem Fenster vorbeilie-

86

fen, und mich gefragt, wo sie denn alle hinlaufen
und warum nicht einer, der zu den Füßen gehört, zu
mir hereinkommt. Ich ließ den Tag verrinnen, bewe-
gungslos, und es war so still im Haus, daß ich die Te-
lefone in den Nachbarwohnungen und sogar in den
anderen Etagen klingeln hörte. Ich drehte und wendete mich und horchte nach ihnen, voller Angst,
denn ich erwartete aus jedem Telefon die Nachricht
von meines Vaters Tod. Und als mein eigener Appa-
rat, der auf der Erde steht, so daß ich mich hinknien
muß, um den Hörer abzunehmen, endlich klingelte,
dachte ich, wozu noch drangehen, das Klingeln allein sagt mir, daß mein Vater nun tot ist. Aber ich
mußte ja mit seiner Frau sprechen und fragen, wann
er begraben wird, und sie bitten, noch so lange damit zu warten, bis ich ein Visum hätte, die Genehmi-
gung, daß ich überhaupt zum Begräbnis kommen
durfte, daß sie mich wieder hereinließen.

Und keinem konnte ich etwas davon erzählen, in
meinem ganzen XIII. Bezirk wußte ja niemand etwas von meinem Vater, und dabei hatte er doch
schon in dieser Stadt gewohnt, war hier herumge-
laufen vor fünfzig Jahren, mit seiner ersten Frau, der
Vorgängerin meiner Mutter, und hatte in Bibliotheken gesessen und Artikel für die »Vossische Zeitung« geschrieben oder Leute besucht und sich mit
ihnen im Café getroffen, Leute, die auch schon lange
nicht mehr da sind und an die sich niemand erinnert.

Aus den Pappkartons habe ich alle die alten Briefe
meines Vaters herausgeklaubt, sie auseinanderge-

faltet und aufeinandergelegt, so daß ich sie wie ein Buch durchblättern und lesen konnte wie einen Roman. Da waren noch Briefe aus meiner Kinderzeit, aus der Zeit mit meiner Mutter, Briefe, die er mir ins Kinderferienlager geschrieben hatte, und solche aus der Zeit mit der Schauspielerin, mit ihren Grüßen darunter, einmal waren sie in Jugoslawien und einmal in Österreich gewesen; Briefe aus der Zeit mit der letzten Frau im Schloß Belvedere und der mit dem Hölderlinvers, wo er Mord unterstrichen hatte, das war die letzte Seite des Romans.

Ich sah seine Schrift auf dem Papier und hörte seine Stimme in meinem Ohr; obgleich mir seine Frau gesagt hatte, daß der Körper meines Vaters jetzt gestorben sei, also auch seine Stimme. Aber ich hörte sie noch, sie war in meinem Kopf, hier im Souterrain, und ging mit mir aus dem Haus, fuhr mit mir herum im XIII. Bezirk und in der ganzen Stadt – so konnte man doch nicht sagen, daß alles erloschen war. Ich hörte, wie er sagte, wenn ich wenigstens noch ein – zwei Jahre hätte, ein – zwei Jahre wären vielleicht nicht zuviel verlangt, wie er sich, verzweifelt, auf ein so winziges Maß bescheiden wollte, als ob er noch einen Aufschub erhalten und eine Frist erhandeln könnte, wenn er sich mit etwas ganz Minimalem zufriedengäbe. So hatte ich früher Alfried angebettelt, wenn er nachts kam und nur so kurz blieb: Bleib wenigstens noch fünf Minuten! Er hatte mich ausgelacht deswegen: Warum sagst du fünf Minuten, wenn du doch meinst, daß ich noch lange, womöglich für immer bleiben soll. Du willst deine maßlose Forderung durch einen scheinbar bescheidenen Anspruch erpressen, aber du weißt, daß ich nicht lange oder gar für immer bleibe, sondern daß ich nur kurz vorbeikomme und bald wieder gehe und einmal auch endgültig, das weißt du ja, es ist eben so, man kann es nicht ändern. Die Sehnsucht nach dem Zusammensein ist wie die Sehnsucht nach dem ewigen Leben: ein kindischer Traum.

Wenn ich abends im Bett lag, konnte ich nicht anders, als mich auch so starr und unbeweglich auf den Rücken zu legen, wie mein Vater gelegen haben muß, seit er sich nicht mehr bewegen konnte, und so blieb ich und rührte mich nicht, bis es mich schmerzte. Ich zwang mich, in dieser Lage zu bleiben, ohne Veränderung, ganz unbewegt, als müßte ich warten, daß jemand käme mich umzudrehen, bis ich vor Schmerz und Erstarrung aufjaulte und glaubte, eine Spur von seinem Leiden gefunden zu haben, indem ich mich selber quälte, und endlich auch weinte und wenigstens im Weinen erlöst war. Denn schon mein ganzes Leben hatte ich Angst gehabt, daß ich, wenn mein Vater einmal sterben würde, am Tage seines Todes keine Tränen hätte und nicht weinen könnte. War ich irgendwann eingeschlafen, trat mein Vater in meinen Traum, da lebte er wieder und sprach mit mir und sagte etwas sehr Wichtiges, etwas, was er immer nur in den Träumen sagte. Wir saßen im Schloß Belvedere oder in meiner Wohnung in Berlin oder standen in den Kulissen

vom Berliner Theater zwischen dem Zuschauerraum und der Bühne und der großen Tür, durch die
sie die Dekorationen herein- und heraustrugen, und
manchmal gingen wir in der Orangerie spazieren,
am Ginkgo Biloba vorbei und riefen Bilbo, den
Hund, der wieder nicht folgen wollte. Der Name
des Hundes verwandelte sich in meinen eigenen,
und ich hörte meinen Vater meinen Namen rufen, so
lange, bis ich aufwachte. Da war mein Vater wieder
gestorben, und es war mir ganz unmöglich vorzu-
stellen, daß er nun in der kalten Erde oder in einer
anderen Welt sei.

Am Gare de l'Est war immer noch die riesige Baustelle, aber nun kannte ich ja die Tür, durch die man
hineinkommen konnte. Vom Gare de l'Est bin ich
wieder zurückgefahren nach dem Osten. Vom Gare
de l'Est nach Frankfurt und von Frankfurt nach
Weimar. Da stand ich wieder, wie vor ein paar Monaten, auf einem Bahnsteig des Frankfurter Haupt-
bahnhofes, wo ich damals vergeblich meinen Vater
gesucht und gerufen hatte. Fünf Stunden dauerte es
noch, bis der Zug nach Weimar weiterfuhr, mitten in
der Nacht. In der Tasche hatte ich ein Telegramm:
»Berechtigung zum Erhalt eines Visums«, ein Zettel
nur, ein Wisch, wie der, mit dem man mich heraus-
gelassen hatte.

Ich bin in eine Telefonzelle gegangen und habe in
Wiesbaden angerufen, 5 89 21, um der Hauptdarstellerin zu sagen, daß mein Vater nach ihr gefragt hatte,
kurz vor seinem Tod, aber sie war nicht da, nur einer
von der Wohngemeinschaft, der fragte, ob er was
ausrichten solle. Ja, sagte ich, daß mein Vater, den er
bei seinen Besuchen in Wiesbaden vielleicht gesehen

habe, jetzt tot sei. Der Mann aus der Wohngemeinschaft sagte, ach, das tut mir leid, und ich bat ihn, für
die Hauptdarstellerin einen Zettel zu schreiben. Die
Serviette mit der Telefonnummer warf ich in den Pa-
pierkorb.

Ich habe mir die Geschäfte am Bahnhof angesehen und einen Tee getrunken und nach einer Stunde
einen Kaffee und dann noch einmal einen Tee. Später habe ich mir an einer Bude ein Brötchen gekauft
und mich auf eine Bank gesetzt, dann wieder auf
eine andere, denn ich hatte Angst einzuschlafen.
Der ganze Bahnhof schien mir verwandelt, seitdem
ich damals hier angekommen war, vielleicht nur,
weil es damals Tag und diesmal Nacht war und ich
nun auch die Leute sah, die da in den Ecken lagen
oder herumschlichen, arme Leute, Obdachlose und
Betrunkene, die ich damals gar nicht bemerkt hatte
und die mir jetzt angst machten. Weil es schon auf
Weihnachten ging, war der ganze Bahnhof mit Tan-
nenzweigen und Weihnachtskugeln, Glöckchen
und falschem Schnee überpudert, das paßte nicht zu
dem Dreck und dem nächtlichen Mißtrauen, es sah
lächerlich aus, alles wirkte erschöpft und wie am
Ende.

Als wäre ich bei einem Spiel rausgeflogen, so habe
ich die ganze Reise noch einmal gemacht, retour.
Wie es in den Spielregeln oft heißt: Der Spieler setzt
wieder aufs Anfangsfeld zurück, und das Spiel fängt
noch einmal von vorne an. Dieselben Stationen:
Place d'Italie – Gare de l'Est – Metz – Frankfurt –

Eisenach – Erfurt – Weimar. So war ich gekommen. Es schien mir, als ob man mich dort nicht loslassen wollte, als ob ich alles noch einmal anschauen sollte, mit einem Blick, der vielleicht schon versöhnt wäre, und mich fragen, warum ich denn überhaupt weggefahren war.

Die breite Belvedere-Allee, die zum Schloß hinaufführt, gipfelt in einer fürstlichen Auffahrt, auf einem Platz mit einer Fontäne, die aus einem seerosenbedeckten Teich springt. Zu beiden Seiten des Schlosses stehen die Kavaliershäuschen, in denen eine Musikschule untergebracht ist, so daß man im Park und in der ganzen Umgebung des Schlosses immer von irgendwoher, je nachdem wie der Wind weht, ein Stückchen Musik geigen oder klimpern und manchmal auch singen hört.

Seit Jahren hieß es, daß im Schloß ein Museum eingerichtet werden sollte, und seit Jahren bereitete die Frau meines Vaters die Einrichtung dieses Museums vor. Aber es kamen nur selten Handwerker. Sie begannen in einigen Sälen etwas herzurichten, ließen dann aber, mitten in der angefangenen Arbeit, alles stehen und liegen und zogen ab und wurden nie wieder erblickt. Einige Wochen lang machten sich Kupferdecker am Dach zu schaffen, sie hatten noch nicht mal einen halben Flügel fertig, da verschwanden sie, ließen die andere Hälfte einfach ungedeckt stehen und kamen auch nie wieder. So ist das Schloß immer leer geblieben, in einem halb verfallenen und halb restaurierten Zustand, es wurde nie etwas darin eingerichtet, und mein Vater und seine Frau blieben während all der Jahre, in denen sie dort gewohnt haben, ganz allein darin.

In einem der leeren Säle mit den großen Spiegeln und Kaminen, zwischen die Anzüge und Schuhe, die von den Arbeitern da herumlagen, war der Sarg meines Vaters bis zum Begräbnis abgestellt worden, und der Hausmeister der Musikschule, der meinen Vater hinter seinem Rücken immer nur »Itzig« genannt hatte, soll herübergekommen sein und »Mach's gut, Chef« gesagt haben.

Mein Vater lebte in Weimar ganz zurückgezogen. Er ging nicht mehr zu den Versammlungen der Partei und auch nicht mehr zu den Versammlungen der »Verfolgten des Naziregimes«, die aber trotzdem zu jedem Geburtstag dem »Lieben Genossen« beziehungsweise »Lieben Kameraden« einen vorgedruckten Glückwunsch schickten, auch nach seinem Tode noch. Am gesellschaftlichen Leben seiner jungen Frau, die als Museumsdirektorin viele Einladungen erhielt, nahm er nicht teil, meistens hob er nicht einmal das Telefon ab, und wenn es unten am Schloßportal klingelte, steckte er oben den Kopf aus dem Fenster, denn die Sprechanlage funktionierte schon seit Jahren nicht mehr, und rief herunter, nein, nein, es ist keiner da. Er wollte niemanden mehr sehen. Anstelle seiner eigenen Lebenserinnerungen schrieb er ein paar Biografien von Leuten, die ihm möglichst unähnlich waren und die ihn überhaupt nicht interessierten, und veröffentlichte sie in einem Verlag, den er wegen seiner sonstigen Publikationen verachtete.

Vor allem ging er im Park spazieren und spielte ein kindisches Spiel mit seinem Hund, der wegen des Ginkgo Biloba hieß. Er kletterte in einen riesigen alten Baum hinein, der innen ganz ausgehöhlt war und dessen starke Äste sich nah am Boden verbreiteten, so daß er wie eine Burg mit äußeren Höfen war; darin verschanzte sich mein Vater und ließ sich von dem Hund suchen.

Wenn ich ihn besuchte, führte er mich zuerst in die Orangerie, in der die seltsamen und fremden Bäume stehen, im Sommer werden sie sogar hinausgebracht, Zedern vom Libanon, Orangen- und Johannisbrotbäume und Palmen, und mein Vater beklagte immer wieder von neuem den mickrigen Zustand des Ginkgo Biloba und der anderen Bäume aus den fernen Ländern, die nie Früchte trugen. Dann gingen wir weiter zu den Grotten und Fontänen und der künstlichen Ruine bis zum Possenbach, der den Park begrenzt, und über die Brücke in den Wald hinein. Manchmal, wenn es dann plötzlich Nacht geworden war, obwohl wir nur einen Abendspaziergang hatten machen wollen, verloren wir uns im Wald, jenseits des Parks, und stolperten über Äste und Wurzeln und fanden den Weg nicht mehr, denn weil wir ja viel mehr Stadtmenschen waren, hatten wir keine Übung, in der nächtlichen Natur zu sehen und uns darin zurechtzufinden. Der Hund ließ uns dann meistens auch im Stich, raste kreuz und quer durch den Wald, und wir hörten nur noch ein fernes wildes Bellen von ihm. Für ein paar Stunden fand er seine Jagdhundnatur wieder, scheuchte die nächtlichen Tiere auf und wollte uns nicht mehr folgen, ließ sich nicht mehr blicken, und wir hatten Angst um ihn und um die nächtlichen Tiere und darum, daß wir ohne ihn den Weg zurück ins Schloß nicht mehr finden würden. Wir riefen und schrien Bilbo!, denn auf diese Form hatte sich der Name seit langem verkürzt, Bilbo hierher! Bilbo komm!

Eigentlich ist dein Vater verhungert und verdurstet, hat mir seine Frau nach dem Begräbnis erzählt. Er konnte nicht mehr essen und nicht mehr trinken oder wollte es nicht mehr, und sie hat ihn mit Teelöffeln voll Grießbrei und Tee zu ernähren versucht und die Teelöffel gezählt wie für ein kleines Kind. Noch ein Löffelchen, bitte, ein Löffelchen für dich, ein Löffelchen für mich, und ein Löffelchen für deine Tochter, ein Löffelchen für Bilbo, ein Löffelchen für deine Mama und eins für deinen Papa, und ein Löffelchen für die Hofbankiers, ein Löffelchen für die Bergstraße, ein Löffelchen für die Odenwaldschule, bitte, ein Löffelchen für die Vossische Zeitung, ein Löffelchen für Paris, ein Löffelchen für London, ein Löffelchen für Berlin, ein Löffelchen für das neue Deutschland, ein Löffelchen für die Verfolgten des Naziregimes, ein Löffelchen fürs

Schloß Belvedere und ein Löffelchen für den Ginkgo Biloba, bitte, bitte.

Das war alles nur wie mit Martha, habe ich zu ihr gesagt, und sie hat gefragt, wer ist Martha, was ist mit Martha. Vielleicht hat ihr mein Vater die Geschichte von Martha nie erzählt.

Wir standen in seinem Zimmer, das ich noch einmal hatte sehen wollen, ich habe in seinen Sachen gekramt und mir die russische Uhr genommen und aus der Schublade seines Schreibtisches das englische Notizbuch, den Kalender vom Jahre 44. Mein Vater hatte die Wochentage für das Jahr 46 umgeschrieben, das Jahr, in dem er nach Deutschland zurückgekehrt war. Der Name jedes Wochentages war ausgestrichen und der gültige danebengesetzt, aber nur wenige Seiten waren beschrieben, und auf den wenigen Seiten standen meist nur ein paar Zeilen in der Mitte des Blattes. Ich habe sie gleich da im Zimmer meines Vaters, unter dem Dach vom Belvedere, neben dem Tischleindeckdich von Goethe und Karl August, durchgelesen.

[Wednesday] May 31. *Friday*
Mit dem Military Entry Permit Nr. 17 174 und dem Certificate of Identity Nr. H 51 39 habe ich am 23. Mai 1946 aus London (via Prag) kommend die deutsche Grenze passiert.

Alles in allem war ich dreizehn Jahre weg, jetzt komme ich zurück nach Berlin zu den Russen, obwohl mich die Engländer in Hamburg erwarten.

[Thursday] June 1. *Saturday*
Hole mein Gepäck mit Parteiauto vom Bahnhof
Zoo ab. Der Chauffeur ist ein braver Mann, wir
fahren durch die Lützowstraße, er erzählt mir von
den letzten Kämpfen um den Bunker am Zoo. Im
Parteibüro muß ich stundenlang warten, bis F. zu
sprechen ist. Fragt mich genau über meine Partei-
laufbahn aus, läßt sich meine Akte kommen und
schreibt die Neuigkeiten hinein. Setzt einen Brief
auf, in dem ich den Engländern erkläre, daß ich in
der russischen Zone bleiben werde. Fragt mich, was
ich denn hier machen will, lacht, als ich sage: eine
Zeitung.

[Saturday] June 3. *Monday*
Melde mich für Wohnung und Lebensmittelkarten
an. Gehe mit den zwei Kumpels aus dem Schlafsaal,
die aus Chemnitz kommen, in ein Lokal, das sie
kennen. Lauter besoffene Weiber, scheußlich. (In
der Garage W. U.s 12-Zylinder-Mercedes gesehen.)

[Sunday] June 4. *Tuesday*
Ins Quartier V umgezogen, Zimmer drei. Auf dem
Wohnungsamt in Pankow nichts erreicht. Schlange-
stehen, Bezirksvorsteher Krause nimmt sich Zeit.
Kriege meine Lebensmittelkarten und kaufe zum
erstenmal ein: etwas Butter, Kekse, Zucker und Sup-
penpaste. Abendessen bei den K.s, danach schön
sentimentale Grammophonplatten gehört. Fahre bis
Ostkreuz, von da an stundenlang Elektrische, ab

Alex zu Fuß in ungewollter Begleitung eines Man-
nes, der vom Angriff am 3. Februar erzählt und sich
Sorgen macht um Deutschland wegen zu kleinem
Raum.

[Monday] June 5. *Wednesday*
Gehe auf Marken essen. Viele sinnlose Gänge.
Wohnungsamt, wieder zwecklos. Abends im Fürstenhof, wieder hauptsächlich nur besoffene Frauen
und Männer, sehe geradezu die PGs vor mir. Viel
Schnaps. Hungrig und traurig. Aber schöne Bums-
musik.

[Thursday] June 8. *Saturday*
Lange Schlange vor der Fleischerei, gehe wieder.
Wohnungsamt – zwecklos. Kehre zum Fleischer zurück und kriege meine erste Wurst. Dann ins Bad,
wieder eine Schlange, Ausländer werden vorgelas-
sen. Einige murren, werden aber belehrt, was sie
schließlich den anderen Nationen angetan hätten,
jetzt müßten sie eben warten. Staatenloser, der ich
bin, gelte ich als Ausländer und darf vor den Deutschen baden gehen.
    Regine besucht mich im Schlafsaal des Quar-
tiers IV und bringt einen elektrischen Kocher und
eine Tasse mit, macht mir einen Tee. Später gehen
wir in die Hasenheide und nachts wandere ich vom
Küstriner Platz zum Märkischen Museum. Mond
über der Straße, sonst kein Licht und lange, lange
Strecken nur Ruinen, gruselig.

Mit dem Fahrrad auf der Ost-West-Achse zum Kurfürstendamm. Am russischen Gefallenendenkmal werden Rotarmisten aus Lastwagen abgesetzt, sie machen Gruppenfotos, Amerikaner knipsen vom Jeep aus, ohne auszusteigen. Besehe den Bunker am Zoo und den kleinen Friedhof mit den am 8. Mai Gefallenen. Trinke eine Limonade im Café Wien.

[Friday] June 11. *Sunday*
Im Quartier IV Gemeinschaftskocherei. Jefim kommt. Wir diskutieren die verlorenen Illusionen. Abends zusammen in den Fürstenhof. Die Deutschen wieder mit so viel Gemüt. Jefim in Zivil. Jemand spricht uns an, ob wir Italiener seien. Sie erinnern sich nicht mehr, wie Juden aussehen.

[Saturday] June 12. *Monday*
Versuche, erste Artikel zu schreiben. Es fällt mir schwer. Zum Polizeipräsidium wegen der Papiere. Nebenan auf der Kripo ein kleiner Junge, von Beuthen durchgebrannt, um seinen Vater zu suchen, der in einem Lager sein soll, wo und warum weiß er nicht. Aber vielleicht hat ihn auch Berlin gelockt, da sollen die Amis den Kindern soviel Schokolade geben, wie sie haben wollen. Nun ist er eigentlich sehr enttäuscht. Hat vier Nächte irgendwo herumgepennt und ist mitten am Tage vor Hunger und Müdigkeit auf dem Alex eingeschlafen. Jetzt wird er in ein Heim gebracht.

Abends Zirkus Barley. Löwen, Elefanten und Kunst auf dem Einrad, aber alles viel zu ernst. Der auf dem Einrad sollte wenigstens eine Zigarette dabei rauchen. Gehe traurig nach Hause, weiß so ganz genau nicht, wo ich bin. Ein bißchen so wie der Italiener eben im Zirkus, der eigentlich aus Rußland kommt. Genauso ein Italiener wie ich.

Das war alles, was mein Vater in den Kalender eingetragen hatte. Außerdem gab es nur noch ein Adressenregister voller Namen, die ich alle nicht kannte, und eine Umrechnungstabelle der englischen Maße und Gewichte in das kontinentale Dezimalsystem.

Weil ich den Kalender nicht einfach nur als ein Erinnerungsstück mit nach Paris nehmen wollte und weil so viele Seiten leer geblieben waren, schrieb ich selber darin weiter und datierte die Wochentage noch einmal um auf das jetzige Jahr. Ich trug den Todestag meines Vaters und den Tag seines Begräbnisses ein und den Tag, an dem wir uns das letzte Mal gesehen hatten, und dann habe ich angefangen, die leeren Seiten vollzuschreiben, so daß unsere Aufzeichnungen ineinander verliefen in dem englischen Kalender, der sowieso schon längst abgelaufen war.

[Friday] December 15. *Dienstag*
Weimar, Apolda, Naumburg, Weißenfels, Halle, Berlin. Hundertmal bin ich diese Strecke gefahren,

aber jetzt ist die Reise illegal, denn die »Berechtigung« gilt nur für den Ort des Begräbnisses.

Irgendwo am Rand von Berlin bin ich deshalb aus dem Zug ausgestiegen, um mit der S-Bahn oder mit einem Bus weiterzufahren, weil ich dachte, das wäre unauffälliger. Habe mich gleich verlaufen, denn in diesem Teil der Stadt bin ich nie gewesen, es ist eine ganz unbekannte Gegend, die ich zum erstenmal gesehen habe. Ein Straßenschild weist zur Autobahn und nach Fürstenwalde – ein Ortsname, den ich gut kenne. Hier könnten wir vor einer sehr langen Zeit entlanggefahren sein, als ich ein Kind war und meine Eltern noch zusammenlebten. Sie hatten ein Haus am Scharmützelsee, wo wir die Wochenenden verbrachten, ich kann mich nicht wirklich daran erinnern, sondern nur an das, was meine Eltern davon erzählt haben: eine kleine Villa aus Holz und eine Veranda auf den See hinaus, ein großer Garten mit alten Bäumen, ein paar Beete mit Bohnen und Erdbeeren, Himbeersträucher und Apfelbäume und die Schaukel vor dem Küchenfenster. Johannes R. Becher soll mit mir geturnt haben, wenn er manchmal mit seinem Segelboot herüberkam, und dann haben sie in Liegestühlen unter den Bäumen gesessen und diskutiert, wie es mit dem neuen Deutschland werden soll. Ich wollte in dieser Zeit noch Naturforscherin werden und forschte im Garten oder am Rande des Wassers; als ich meine Forschungen auf das Segelboot von Johannes R. Becher ausdehnen wollte, war das allerdings verboten. Das Haus und der Garten waren gepachtet, und nach ein paar Jahren schon forderte der Besitzer, den mein Vater immer nur den »alten Nazi« nannte, beides zurück. Von da an gab es kein Haus und keinen Garten am Scharmützelsee mehr, meine Eltern gingen bald auseinander, die Schauspielerin brauchte kein Haus fürs Wochenende, weil sie sowieso immer im Theater zu tun hatte, und meine Mutter dachte wohl schon an die Rückkehr nach Bulgarien.

Viele Jahre später, in der Zeit an der Universität, bin ich dann doch wieder an diesen Ort gekommen. Die Mutter meiner Freundin hatte ein Haus dort, beinahe einen Hof, und meine Freundin und ich haben auf diesem Hof viele Wochenenden verbracht, manchmal mit ihrer Mutter oder mit anderen Freunden oder mit den Freunden der Mutter. Es war so eine Flucht aus dem Leben in Berlin und dem Leben überhaupt. Wir ließen uns von der Mutter und den Freundinnen der Mutter verwöhnen, aber das Verwöhnen war uns auch wieder nicht recht, denn es kam uns doch wie ein Zum-Schweigen-Bringen und Verstummen vor. Dann liefen wir wieder weg. Einmal zeigte ich meiner Freundin am anderen Ende des Ortes den Garten und das Haus, die früher unser Garten und unser Haus gewesen waren, und wir sahen hinter dem Zaun den »alten Nazi« im Garten wirtschaften. Wir liefen in die Rauenschen Berge, deren Name mir fast als einziges von diesem Ort aus der Kindheit in Erinnerung geblieben war, oder einem der drei Wege nach, die in die Nachbardörfer führten; und wir kannten bald jeden Stein, der da lag, und jeden Strauch, der da wuchs, und fingen an, von Weiterem, Unbekannterem zu träumen, und wollten lange Wanderungen unternehmen und schmiedeten große Pläne für unser Leben.

[Saturday] December 16. *Mittwoch*
Jeder alte Mann, den ich auf der Straße sehe, erschreckt mich, ich sehe ihn an und denke, warum lebt der und kennt mich nicht und geht da herum und sieht mich nicht, als ob ich ihn gar nichts angehe, warum kann er nicht mein Vater sein. Dann fange ich zu heulen an, aus Trauer darüber, daß jede Reise jetzt sinnlos ist, daß ich meinen Vater nicht mehr wiederfinden kann. Wo ich auch hinfahren werde – ich werde ihn doch nicht wiederfinden, nie und nirgends, im Guten nicht und nicht im Bösen.

An jeder Ecke gibt es eine Wohnung, wo irgend jemand, den ich kenne, gewohnt hat oder immer noch wohnt. Soll ich hingehen, frage ich mich jedesmal, und laufe vorbei.

[Sunday] December 17. *Donnerstag*
Neben dem S-Bahnhof Leninallee streckt sich die Werner-Seelenbinder-Halle öde aus und bereitet wieder oder immer noch irgendeinen Parteitag vor, der Zentralviehhof stinkt, und die Straßenbahnen quietschen ins Depot und aus dem Depot wieder heraus. Ich bin zu meiner alten Wohnung gegangen,

habe mich vielmehr daran vorbeigeschlichen, um zu sehen, was für ein Name jetzt an meiner Tür steht. Da steht: Walter. Herr oder Frau Walter haben endlich eine Klingel anbringen lassen, das habe ich in zehn Jahren nicht geschafft, man hat immer klopfen müssen. Dann habe ich mich an die Haltestelle vor meinem Haus gestellt und auf den 57er Bus gewartet und bin ins Berliner Theater gefahren, um auf den Aushängen nachzusehen, was für ein Stück sie gerade proben, wer welche Rolle spielt und wer die Dramaturgen, Assistenten und Gehilfen sind. Ich bin ziemlich lange vor der Liste mit den bekannten Namen stehengeblieben, bis der Pförtner mich fragte, ob ich jemanden sprechen will, jetzt seien sie alle auf der Probe, bis vierzehn Uhr, danach könne man alle in der Kantine treffen. Das wußte ich sowieso; ich wolle niemanden sprechen, habe ich gesagt, danke schön.

Habe mich ins »Lindenkorso« gesetzt und Ansichtskarten geschrieben, wie ein Tourist. Eine mit dem Foto vom Berliner Theater an Alfried nach München und einen Brief an Jean-Marc nach New York.

Lieber Jean-Marc,
Gott weiß, wann ich wissen werde, was passiert ist. Ich bin jetzt in Berlin, wo Du nie hinwolltest. Mein Vater ist gestorben. Er ist in Weimar, nicht weit vom Schloß Belvedere, begraben worden.

In Deine Mansarde ist eine junge Frau mit einem

Kind eingezogen, sie wundert sich, wenn ich ihr nachsehe. In der Wäscherei arbeitet an Deiner Stelle ein Chinese, oder einer, den ich dafür halte. Es tut mir jetzt leid, daß wir immer in einer fremden Sprache miteinander gesprochen haben, und nur die Worte, die wir zu dieser Sprache dazuerfunden haben, scheinen mir jetzt noch einen Sinn zu haben.

Im Naturstudium komme ich langsam voran und traue mich auch schon manchmal raus und zeichne, wenn schon nicht die Stadt, wenigstens ein paar Bäume oder Gräser. Ich müßte aus dem Souterrain heraus. Vielleicht hätte ich in Deine Mansarde einziehen sollen, oben ist es doch besser als immer halb unter der Erde. Ich umarme Dich also aus Berlin.

[Monday] December 18. *Freitag*
Ich habe gar niemanden in Berlin besucht, keinen von den alten Freunden und auch die Kollegen vom Berliner Theater nicht. In den letzten Stunden, bevor mein Zug abfuhr, bin ich dahin gegangen, wo keiner mehr wohnt, zu dem Haus, wo ich mit meiner Mutter lebte, bevor sie wieder nach Bulgarien zog, und zu dem Haus, wo ich meinen Vater bei der Schauspielerin besucht habe. Sie wohnt immer noch da. Aber wie schon in Paris war alle Gegenwart weggewischt, und selbst die Erinnerung, schien mir, konnte sich nicht wirklich an den Orten halten. Plötzlich, wie ich da vor den Häusern stand, ist mir aller Sinn abhanden gekommen von Weggehen und Wiederkommen und Freundschaft und den ver-

schiedenen Orten der Welt, als ob sie sich alle auflö-
sten oder in die Luft aufstiegen, wenn man sich ihnen nähert, und eigentlich kann man nicht wissen,
ob sie sich verflüchtigen oder ob man selber flieht.

Aus dem Park von Belvedere habe ich mir wieder
ein paar Blätter vom Ginkgo Biloba mitgenommen
und in meine Manteltasche gesteckt. Mit der Zeit
werden die Blätter zerkrümeln und zerfallen, wenn
ich mit den Händen immer wieder in die Tasche
fasse, und werden sich mit dem Dreck und den Krü-
meln auf dem Boden der Tasche vermischen, und ich
werde den Mantel dann nicht zur Reinigung bringen, damit der Blätterstaub auf dem Grund der Tasche bleibt.

Am Bahnhof Friedrichstraße, kurz vor dem
Grenzübergang, habe ich Wanda, die ich vom Theater kenne, getroffen, wir sind auf der Straße stehengeblieben und haben miteinander geredet, und ich
merkte, sie wußte gar nicht, daß ich nicht mehr da
lebe, und ich habe ihr nichts gesagt.

Ich konnte nicht noch einmal die ganze Strecke von
Berlin bis Paris über Frankfurt besichtigen. Habe einen Schlafwagen genommen und mich hingelegt
und die Vorhänge zugezogen.

Barbara Honigmann im dtv

»Sinnlich, lebendig, lebensklug.«
Jürgen Verdofsky in ›Literaturen‹

Alles, alles Liebe!
Roman
ISBN 978-3-423-13135-3

Mitte der 70er Jahre. Anna, eine junge jüdische Frau in Ost-Berlin, verlässt zum ersten Mal ihre Stadt und geht als Regisseurin an ein Provinztheater. Zurück bleiben ihre Freunde, ihre Mutter, ihre ganze Existenz. Und nicht zuletzt Leon, ihr Geliebter.

Damals, dann und danach
ISBN 978-3-423-13008-0

Ein überaus persönliches Buch, das von vier Generationen erzählt und davon, wie eng Gestern und Heute verknüpft sind.

Ein Kapitel aus meinem Leben
ISBN 978-3-423-13478-1

Das unglaubliche Leben einer außergewöhnlichen Frau im Europa der Kriege und Diktaturen. Eine Tochter erzählt von ihrer Mutter: geboren 1910 in Wien, aufgewachsen im Grenzgebiet zwischen Ungarn und Kroatien, schließlich vor den Nazis über Wien, Paris und Spanien nach London geflohen.

Roman von einem Kinde
ISBN 978-3-423-12893-3

Sechs literarische Erzählungen, die einen direkten Eindruck vom Leben einer im Nachkriegsdeutschland geborenen Jüdin geben.

Eine Liebe aus nichts
ISBN 978-3-423-13716-4

Zwei ineinander verflochtene Geschichten, vom Vater, dem Journalisten Georg Honigmann, seiner Tochter und deren Auf- und Ausbruch aus Deutschland und ihrer gescheiterten Liebe.

Soharas Reise
Roman
ISBN 978-3-423-13843-7

Sohara, algerische Jüdin, nach Frankreich »repatriiert«, erzählt von Lebensreisen, Exil und Aufbruch – und mit der tragikomischen Geschichte von der Entführung und Rückentführung ihrer Kinder auch von einer bewegenden Emanzipation.

Bitte besuchen Sie uns im Internet: www.dtv.de

Angelika Schrobsdorff im <u>dtv</u>

»Die Schrobsdorff hat ihr Leben lang nur
wahre Sätze geschrieben.«
Johannes Mario Simmel

Die Reise nach Sofia
ISBN 978-3-423-10539-2

Sofia und Paris – ein Bild
zweier Welten: Beobachtun-
gen über Konsum und Liebe,
Freiheit und Glück in Ost
und West.

Die Herren
Roman
ISBN 978-3-423-10894-2

Ein psychologisch-erotischer
Roman, dessen Erstveröffent-
lichung 1961 als skandalös
empfunden wurde.

**Jerusalem war immer
eine schwere Adresse**
ISBN 978-3-423-11442-4

Ein Bericht über den Auf-
stand der Palästinenser, ein
sehr persönliches, mensch-
liches Zeugnis für Versöhnung
und Toleranz.

**Die kurze Stunde zwischen
Tag und Nacht**
Roman
ISBN 978-3-423-11697-8

**»Du bist nicht so wie
andre Mütter«**
Die Geschichte einer
leidenschaftlichen Frau
ISBN 978-3-423-11916-0

Spuren
Roman
ISBN 978-3-423-11951-1

Ein ereignisreicher Tag aus
dem Leben einer jungen Frau:
Vera, Schriftstellerin, geschie-
den, die mit ihrem achtjährigen
Sohn in München lebt.

Jericho
Eine Liebesgeschichte
ISBN 978-3-423-12317-4

Grandhotel Bulgaria
Heimkehr in die Vergangenheit
ISBN 978-3-423-12852-0

**Wenn ich dich je vergesse,
oh Jerusalem ...**
ISBN 978-3-423-13239-8

Von der Erinnerung geweckt
<u>dtv</u> premium
ISBN 978-3-423-24153-3

Bitte besuchen Sie uns im Internet: www.dtv.de

Anna Mitgutsch im <u>dtv</u>

»Hier ist eine Autorin am Werk, die in puncto psychologischer
Kompetenz nicht so leicht ihresgleichen hat.«
Dietmar Grieser in der ›Welt‹

Die Züchtigung
Roman
ISBN 978-3-423-10798-3

Eine Mutter, die als Kind
geschlagen wurde, kann ihre
eigene Tochter nur durch
Schläge zu dem erziehen, was
sie für ein »besseres Leben«
hält. Ein literarisches Debüt,
das fassungslos macht. »Dieses
Buch muß gelesen werden ...,
weil es eines der wenigen
Bücher ist, die in ihren Le-
ser/innen etwas bewirken, vielleicht auch etwas verändern.«
(Ingrid Strobl in ›Emma‹)

Ausgrenzung
Roman
ISBN 978-3-423-12435-5

Die Geschichte einer Mutter
und ihres autistischen Sohnes.
Eine starke Frau und ein zartes
Kind erschaffen sich selbst eine
Welt, weil sie in der der ande-
ren nicht zugelassen werden.

Haus der Kindheit
Roman
ISBN 978-3-423-12952-7

Heimat, die es nur in der
Erinnerung gibt: eine ein-
dringliche Geschichte vom
Fremdsein.

Abschied von Jerusalem
Roman
ISBN 978-3-423-13388-3

Eine gefährliche Liebe in
Jerusalem, Stadt der vielen
Wirklichkeiten, Schmelztiegel
der Kulturen und Religionen.

Das andere Gesicht
Roman
ISBN 978-3-423-13688-4

Zwei Frauen und die
Geschichte ihrer Freund-
schaft: ein kompliziertes
Geflecht von Anziehung
und Abstoßung, von Ängsten
und Sehnsüchten.

Bitte besuchen Sie uns im Internet: www.dtv.de